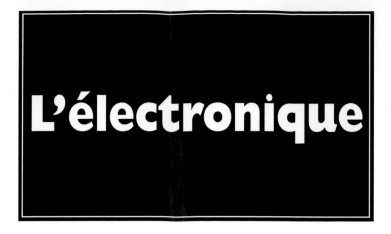

L'électronique

Klystron d'un système radar
(années 1950)

Disque dur de PC

Galvanomètre à miroir
(années 1920)

Relais de puissance

Antenne satellite (1992)

Condensateur
de filtrage

Transistor

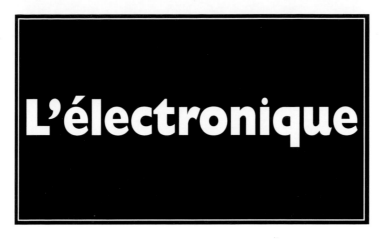

L'électronique

par
Roger Bridgman
en association avec le Science Museum de Londres
Photographies originales de Clive Streeter
Traduction d'Évelyne Pinard
Conseiller : Jean Reby, IUT de mesures physiques d'Orsay

Transformateur de sortie audio

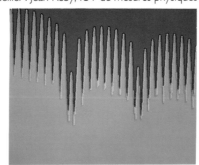

Spectre d'une onde

Carte mémoire de PC

Circuit intégré

Puces de silicium

Ordinateur de poche
(années 1990)

Microphone à
ruban BBC
Marconi AXBT
(années 1950)

GALLIMARD

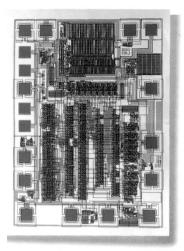

Schéma d'un circuit intégré

UN OUTIL POUR TOUTE LA FAMILLE

Pour encourager le lecteur à observer le monde
qui l'entoure, pour répondre aux nombreux pourquoi
et comment de la vie quotidienne ou aux grandes
interrogations de l'Univers, voici une encyclopédie
scientifique accessible à tous, grâce à son attrait visuel
et à sa simplicité. *L'électronique* est un livre
que l'on prendra l'habitude de consulter en famille
et qui, alliant la fascination de l'image à la sérénité
de la lecture, permettra, à tous les âges,
de redécouvrir le plaisir de comprendre.

UNE SOURCE DE RÉFÉRENCES, D'EXPÉRIENCES ET D'INSPIRATION POUR LES ÉLÈVES ET POUR LES ENSEIGNANTS

Pour l'école, le collège ou le lycée, dans le cadre
des programmes d'enseignement, cet ouvrage présente
quantité d'exemples et d'expériences, majeures ou
moins connues, qui expliqueront
et illustreront de façon vivante et active l'histoire
et les principes de la science. Il aborde la connaissance
en fertilisant l'imagination, facilitant ainsi le travail
de la mémoire, et permet de passer
tout naturellement du concret à l'abstrait.

Écouteurs (années 1920)

Lampe radio
(années 1960)

Le premier microphone fabriqué par David Hugues
(1878)

Direction éditoriale et artistique

Responsables éditoriaux :
Charyn Jones et Josephine Buchanan
Directeurs artistiques :
Ron Stobbart et Lynn Brown
Maquettiste : Helen Diplock
Responsable de la fabrication : Louise Daily
Iconographe : Deborah Pownall
Conseiller éditorial :
Eryl Davies du Science Museum, Londres

Édition originale parue sous le titre :
Eyewitness Science Guide "Electronics"

DK Copyright © 1993 Dorling Kindersley Limited, Londres
Copyright pour le texte © 1993 Roger Bridgman

Pour l'édition française :
ISBN 2-07-058342-2
Copyright © 1994 Éditions Gallimard, Paris
« Loi n° 49-956 du 16 juillet 1949
sur les publications destinées à la jeunesse »
Dépôt légal : avril 1994.
Numéro d'édition : 66526

Imprimé à Singapour

Thyristor pour
commande
de puissance

Haut-parleur pour la radio
(années 1920)

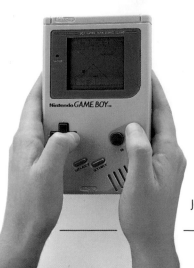

Jeu vidéo de poche

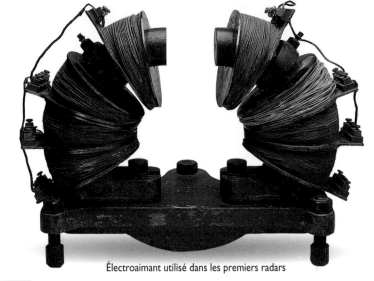

Électroaimant utilisé dans les premiers radars

Les appareils électroniques peuvent émettre des sons, transmettre des messages, des images, effectuer des mesures, garder des informations en mémoire, faire des calculs et des contrôles. Des mécanismes composés de roues et de leviers peuvent effectuer certaines de ces opérations, mais lentement et grossièrement. On utilise bien l'électricité pour donner de la puissance à ces appareils, mais sans en faire pour autant des instruments électroniques. En effet, n'est électronique qu'un appareil contenant des dispositifs mettant en mouvement des particules appelées « électrons ». Le déplacement de ces particules produit un courant électrique qui peut être modifié par un champ électrique ou magnétique. L'électricité permet de réaliser des actions compliquées rapidement et à moindre coût (percer des trous ou se sécher les cheveux, par exemple). Grâce à l'électronique, un appareil peut instantanément répondre à une information qu'il a reçue. La radio, la télévision et, bien sûr, les ordinateurs sont les exemples les plus connus de machines électroniques. Mais ils ne sont pas seuls…

La calculatrice manuelle

Jusque dans les années 1940, le mot anglais *computer* désignait une personne et non une machine. Les machines électroniques pouvant lire, écrire et appliquer des règles peu complexes ont simplifié le travail qui, jusque-là, était effectué par des centaines d'employés travaillant dans d'immenses bureaux.

Le téléphone électromécanique

Depuis plus d'un siècle, le téléphone joue un rôle primordial dans le domaine de la communication, et les nouvelles techniques électriques et électroniques ont largement contribué à son développement. L'appareil classique est électrique et non pas électronique. Il ne contient aucun dispositif électronique qui permette de contrôler l'électricité. Pour composer un numéro, on tourne un disque mobile. Ce disque est solidaire d'un axe qui comprime un ressort lorsqu'on tourne le cadran. En revenant à sa position initiale, ce disque actionne une came qui provoque l'ouverture et la fermeture de contacts. Pour signaler les appels, un marteau actionné par des électroaimants frappe une sonnette. Cet appareil n'a pas de mémoire. Le son est amplifié à l'aide d'un microphone situé à l'intérieur du combiné (p. 42-43). Les téléphones de ce type sont les héritiers directs des appareils conçus au XIXe siècle, bien avant qu'apparaisse l'électronique ; ils sont cependant toujours en service dans le monde entier.

Plot de raccordement

Résistance

Interrupteur : il est actionné quand on décroche ou raccroche le combiné

Cordon du combiné

Cordon de raccordement du cadran

Électroaimant

Cadran rotatif

Combiné

Sonnerie

Cristal
de quartz
contrôlant
la fréquence

Filtre
antiparasite

Circuit intégré
destiné aux signaux
radio

Haut-parleur

Clavier

Touches
de percussion

Interrupteur

Carte à circuits
imprimés

Carte à circuits
imprimés

Touche

Le radio-appel

Sauf pour de grandes
administrations telles
que la police, la liaison
électronique a commencé avec
le radio-appel qui signale
par un bip-bip l'appel reçu.

Dans les années 1970,
un gadget comme celui-ci était
rare. Aujourd'hui, avec la
technologie de pointe,
le « bip » est considéré comme
le parent pauvre
du téléphone portable.

Comment faire de la musique

Chaque instrument de musique
se caractérise par un son. Ce
son dépend des fréquences
émises (p.14-15) et de la
façon dont commencent
et se terminent les
notes. Au moyen
d'appareils comme les
oscillateurs, les amplificateurs et
les filtres, on peut reproduire
des sons après les avoir analysés.
Des sons provenant de
véritables instruments peuvent
ainsi être mémorisés, puis
restitués et transformés à partir
d'un clavier électronique.

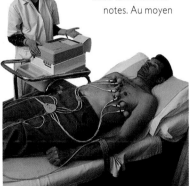

L'électrocardiographe

Les muscles en action produisent
des courants électriques. Grâce
à l'électronique, les médecins
peuvent visualiser l'activité du
muscle cardiaque.
À partir d'électrodes placées
sur le corps du patient,
l'électrocardiographe enregistre
et amplifie les signaux
électriques qu'il détecte.

Le microscope électronique

Grâce à l'électronique, on met en
action des particules élémentaires
appelées électrons. Ces électrons
permettent d'agrandir des images et
de montrer des détails beaucoup
plus ténus que ne peut le faire un
microscope optique. Cette photo en
couleurs a été obtenue en scannant
le sujet à l'aide d'un rayon d'électrons.

Puce agrandie 30 fois

Le téléphone électronique

Les téléphones d'aujourd'hui
contiennent de nombreux
dispositifs à commande électrique
appelés transistors et sont donc
de véritables appareils
électroniques. Lorsque l'on
appuie sur les touches, des
bobines oscillatrices produisent
des tonalités pour signaler
les numéros. Une bobine
et un capteur ont remplacé
les anciennes sonneries.
Le dernier numéro composé est
gardé en mémoire (p. 56-57),
et un amplificateur permet
d'augmenter le petit signal
émis à partir d'un microphone
ultra-léger.

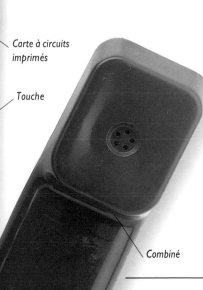

Combiné

Vers 1840, l'électricité a révolutionné la vie des hommes. Des messages envoyés par télégraphe (p. 24-25) ont commencé à remplacer les lettres acheminées d'ordinaire à cheval ou par bateau. Pourtant, les machines qui permettaient de communiquer, d'effectuer des contrôles et des calculs existaient depuis longtemps. Ces machines simples reposaient déjà sur certains des principes de base de l'électronique : la logique, l'amplification et la mémoire. Mais ces machines étaient lentes et de fabrication coûteuse. Elles tombaient souvent en panne, et leurs câbles, leurs leviers ou leurs roues s'usaient très vite. Les moyens de communication étaient primitifs. La nuit, on procédait par signaux en allumant un feu pour dire « oui ». Ne pas allumer de feu signifiait « non ». Cette idée d'un code fait simplement de deux signaux fonde l'électronique numérique.

Canaliser les sons

La parole a une portée limitée, car les sons se dispersent et perdent de leur puissance. Mais ils peuvent être canalisés à l'aide de tuyaux. C'est pour cette raison que certaines maisons étaient équipées de ce dispositif pour appeler les domestiques.

Rangée des millions

Boule noire permettant d'effectuer les différentes opérations arithmétiques

L'ancêtre de la calculatrice

Ce boulier russe ou *stchoty* servait à compter l'argent. La rangée du haut représente les millions, la suivante les centaines de mille, et ainsi de suite. Certains experts peuvent rivaliser en rapidité de calcul avec une calculatrice électronique.

Une régate au large

Le navigateur à la barre de ce voilier se sert d'une boussole et manœuvre le gouvernail pour corriger la trajectoire du bateau. La barre amplifie les informations données par la boussole, ce qui permet de contrôler la force des vents et de la mer.

Cylindre

Soupape

Bielle

Frein à main

Rangée des quarts d'unité

Cadre

Corde commandant la traction

Tambour

Amplifier un signal

Pour soulever de lourdes charges au moyen de cordes ou de chaînes, on utilise des treuils actionnés par des moteurs puissants. Cependant, ils ne peuvent soulever la charge que lorsque la corde enroulée autour du tambour est entraînée par ce dernier. De la même manière, même si un amplificateur est branché en permanence dans une prise électrique, les haut-parleurs ne peuvent émettre un son que si un signal est appliqué à l'entrée.

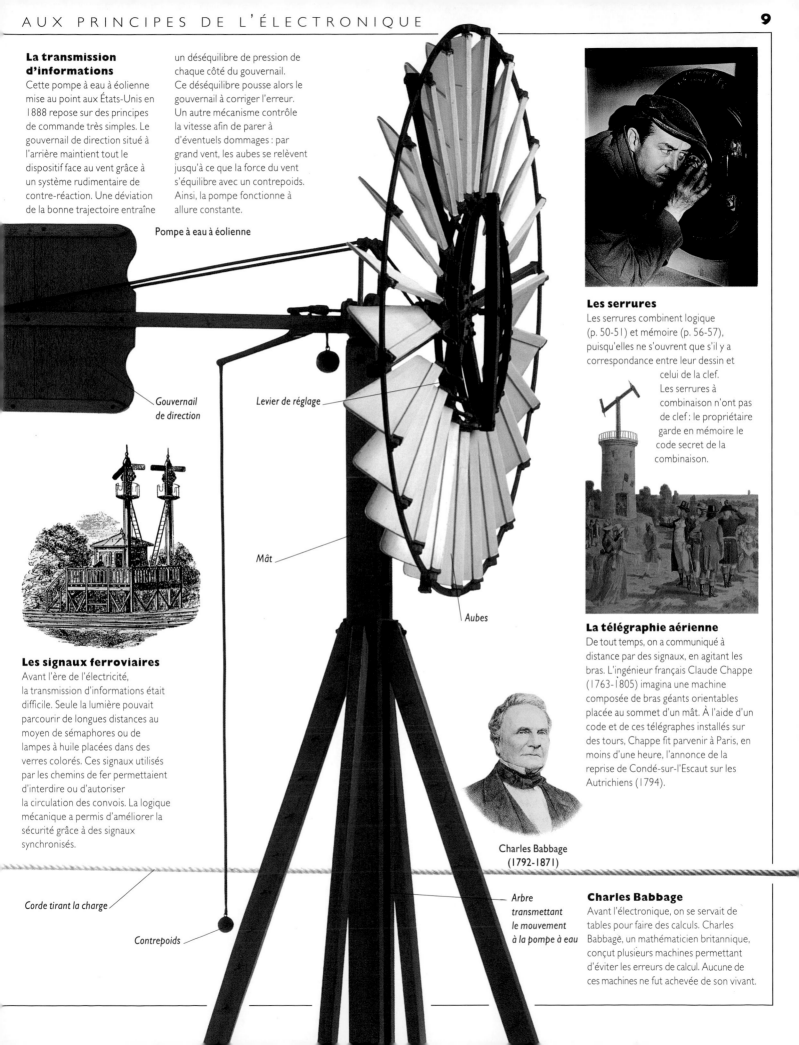

La transmission d'informations

Cette pompe à eau à éolienne mise au point aux États-Unis en 1888 repose sur des principes de commande très simples. Le gouvernail de direction situé à l'arrière maintient tout le dispositif face au vent grâce à un système rudimentaire de contre-réaction. Une déviation de la bonne trajectoire entraîne un déséquilibre de pression de chaque côté du gouvernail. Ce déséquilibre pousse alors le gouvernail à corriger l'erreur. Un autre mécanisme contrôle la vitesse afin de parer à d'éventuels dommages : par grand vent, les aubes se relèvent jusqu'à ce que la force du vent s'équilibre avec un contrepoids. Ainsi, la pompe fonctionne à allure constante.

Pompe à eau à éolienne

Gouvernail de direction

Levier de réglage

Mât

Aubes

Les serrures

Les serrures combinent logique (p. 50-51) et mémoire (p. 56-57), puisqu'elles ne s'ouvrent que s'il y a correspondance entre leur dessin et celui de la clef. Les serrures à combinaison n'ont pas de clef : le propriétaire garde en mémoire le code secret de la combinaison.

La télégraphie aérienne

De tout temps, on a communiqué à distance par des signaux, en agitant les bras. L'ingénieur français Claude Chappe (1763-1805) imagina une machine composée de bras géants orientables placée au sommet d'un mât. À l'aide d'un code et de ces télégraphes installés sur des tours, Chappe fit parvenir à Paris, en moins d'une heure, l'annonce de la reprise de Condé-sur-l'Escaut sur les Autrichiens (1794).

Les signaux ferroviaires

Avant l'ère de l'électricité, la transmission d'informations était difficile. Seule la lumière pouvait parcourir de longues distances au moyen de sémaphores ou de lampes à huile placées dans des verres colorés. Ces signaux utilisés par les chemins de fer permettaient d'interdire ou d'autoriser la circulation des convois. La logique mécanique a permis d'améliorer la sécurité grâce à des signaux synchronisés.

Charles Babbage (1792-1871)

Corde tirant la charge

Contrepoids

Arbre transmettant le mouvement à la pompe à eau

Charles Babbage

Avant l'électronique, on se servait de tables pour faire des calculs. Charles Babbagè, un mathématicien britannique, conçut plusieurs machines permettant d'éviter les erreurs de calcul. Aucune de ces machines ne fut achevée de son vivant.

Il y a interaction entre l'électricité et le magnétisme. Au XIXᵉ siècle, on fit deux grandes découvertes : un fil porteur de courant électrique peut agir comme un aimant ; une variation du flux magnétique est génératrice de courant électrique. (En associant ces deux propriétés, on démontrait qu'un changement de sens du courant dans un conducteur peut générer un courant dans un autre.) Ces deux découvertes ont changé notre vie. Grâce à elles, on a construit des générateurs qui transforment en courant électrique l'énergie des combustibles comme le charbon ou le pétrole. En utilisant les propriétés complémentaires du magnétisme et de l'électricité, on a mis au point des appareils électroniques capables de jouer de la musique, de produire des images ou des ondes radioélectriques.

Le pionnier de l'électricité

Issu d'une famille pauvre, Michael Faraday (1791-1867) devint l'un des plus grands savants de son époque. En 1831, ayant lu les ouvrages d'Œrsted, il apporta la preuve de l'interaction entre électricité et magnétisme.

La mesure du courant électrique

Les galvanomètres à aimant mobile fondés sur les théories d'Œrsted permettent de mesurer les courants électriques. On tourne l'appareil jusqu'à ce que la bobine indique la même direction que l'aiguille aimantée. Les courants électriques traversant la bobine créent ainsi un champ magnétique perpendiculaire au champ magnétique de la Terre. L'aiguille aimantée oscille jusqu'à un nouvel angle, qui indique l'intensité du courant. Ce galvanomètre fut fabriqué en Grande-Bretagne dans les années 1900.

Le moteur

Normalement, un moteur électrique transforme l'énergie électrique en énergie mécanique. En connectant le moteur à une batterie, les courants véhiculés par les fils entourant le noyau mobile créent un champ magnétique qui s'oppose à celui de l'aimant permanent, faisant ainsi tourner le noyau mobile et la poignée.

Aimant permanent

Fil enroulé autour du noyau

Poulie faisant tourner rapidement le noyau

Ampoule

Générateur

Le générateur

Si dans un moteur électrique, comme celui de gauche, on remplace la batterie par une ampoule et que la poignée est utilisée pour faire tourner le noyau, le moteur devient un générateur. Les courants induits par la rotation du noyau provoquent l'allumage de l'ampoule.

Petit aimant pour réglage fin

Moteur électrique

Batterie

Aimant permanent

Fil enroulé autour du noyau

Commutateur inversant le sens du courant lorsque le noyau tourne.

Bobine

Échelle graduée en degrés

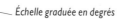

Petite aiguille aimantée

Borne de connexion

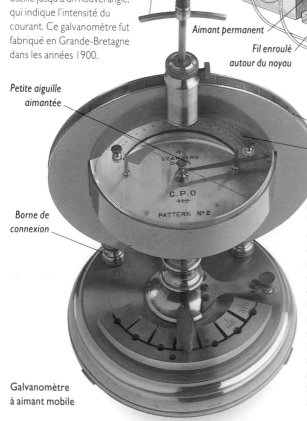

STANDARD

C.P.O

PATTERN Nº 2

Galvanomètre à aimant mobile

L'utilisation des champs magnétique et électrique

Tout comme un téléviseur, un magnétoscope reçoit des signaux émis par un relais de télévision ou par un câble. Mais au lieu de transformer ces signaux en images, le magnétoscope les enregistre sur une bande magnétique. Pour l'enregistrement du son, le procédé est le même. Le fonctionnement du magnétoscope (p. 52-53) repose sur l'interaction de l'électricité et du magnétisme. D'une part, il se sert de l'action magnétique des courants d'un moteur électrique pour faire tourner un tambour à grande vitesse et faire lentement glisser dessus la bande de la cassette. D'autre part, il utilise le champ induit par de petites bobines situées à l'intérieur du tambour pour imprimer des motifs sur la bande. Quand on repasse la bande, le magnétoscope utilise ces motifs magnétiques pour reproduire des courants qu'un téléviseur transformera en images.

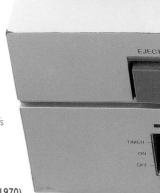

Magnétoscope (fin des années 1970)

LA NOUVELLE SE RÉPAND

Sans les travaux d'Œrsted (1820), l'électricité et le magnétisme auraient pu rester deux domaines mystérieux et bien distincts. Les découvertes d'Œrsted publiées en 1821 ont permis à Michael Faraday (p. 10), puis à James Maxwell (p. 12), de compléter les recherches qui aboutirent à l'ère de la puissance électrique et des ondes électromagnétiques. Joseph Henry (p. 18-19), se fondant sur les travaux d'Œrsted, réussit à expliquer le comportement des composants magnétiques comme les inducteurs. Oliver Heaviside (p. 13) découvrit comment les signaux électriques circulaient dans les câbles.

Borne

Angle de déviation de l'aiguille

Boucle de fil métallique

Borne

Base en bois

Compas magnétique

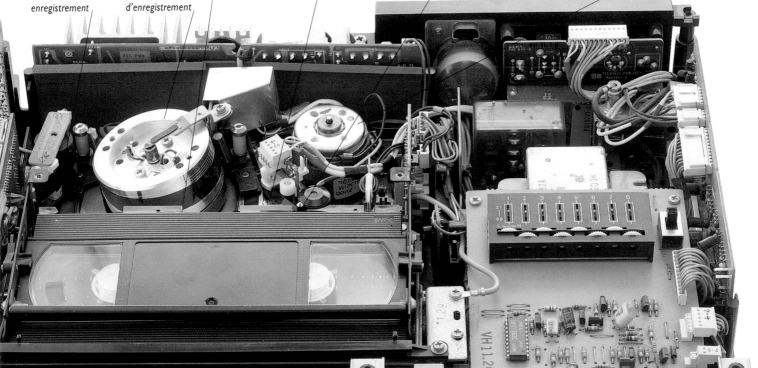

Hans Christian Œrsted

Œrsted, un scientifique danois, découvrit l'interaction entre électricité et magnétisme, permettant une meilleure compréhension de ces phénomènes. Comme tous les savants de son époque, il touchait un peu à tout : il est le premier à avoir isolé l'aluminium sous forme pulvérulente et la pipérine, substance chimique du poivre.

Hans Christian Œrsted (1777-1851)

La boussole d'Œrsted

Lors d'une conférence à l'université de Copenhague en 1820, Œrsted eut l'idée d'une expérience : faire passer le courant dans un fil de platine placé au-dessus d'une aiguille aimantée. Il constata que l'aiguille oscillait. Œrsted trouva immédiatement l'explication du phénomène – le fil conducteur de courant agit comme un aimant –, faisant ainsi la preuve de l'interaction entre électricité et magnétisme.

Tête d'effacement qui prépare la bande pour un nouvel enregistrement

Tambour incliné porteur de 2 têtes : une tête de lecture et une tête d'enregistrement

Bande magnétique enregistrant les images

Tête d'enregistrement et de lecture audio

Cabestan rotatif enroulant la bande autour du tambour

Moteur asservi gardant le tambour en phase

Nous sommes environnés par les ondes. Elles font onduler l'eau, les champs de blé, transmettent le son et la lumière, véhiculent l'information d'un point à un autre. Les ondes se produisent normalement dans tout milieu capable de les emmagasiner et de les restituer sous deux formes d'énergie différentes mais proches. Le son, par exemple, peut se propager dans tout ce qui emmagasine de l'énergie, comme la pression et le mouvement. C'est l'espace lui-même qui véhicule les ondes électromagnétiques et emmagasine l'énergie électrique et magnétique. Le physicien écossais James Clerk Maxwell (1831-1879), poursuivant les travaux de Faraday, découvrit que l'interaction du magnétisme et de l'électricité permettait de produire de telles ondes et que celles-ci se déplaçaient à la vitesse de la lumière, lui laissant à penser que la lumière est elle-même une onde électromagnétique. En 1888, Heinrich Hertz confirma les théories de Faraday et de Maxwell en produisant des ondes électriques.

La preuve que les ondes existent

En 1886, le physicien allemand Heinrich Hertz (1857-1894) entreprit de vérifier les théories de Maxwell sur l'existence des ondes électromagnétiques. Il produisit une étincelle de très fort voltage entre deux électrodes (éclateur) et constata qu'une petite étincelle apparaissait alors entre deux électrodes placées à distance des premières. Cela prouvait que des ondes avaient traversé l'espace entre les électrodes.

La machine à ondes

On peut observer une onde de deux façons : soit en concentrant son attention sur un point fixe, soit en suivant le tracé qu'elle

Ce que peuvent faire les ondes

Quand un disque métallique frappe une rangée de disques disposés les uns contre les autres, le disque opposé est éjecté. L'onde qui se propage dans le métal voyageant beaucoup plus rapidement que le disque mobile transporte sa

propre énergie tout au long de la rangée de disques. De la même manière, lorsqu'une ampoule est reliée à une batterie, une onde électromagnétique provoque l'allumage de l'ampoule bien avant que les électrons de la batterie ne l'atteignent.

parcourt. Chaque point subit une série de changements, mais plus les points sont éloignés de la source, plus les changements sont tardifs. La forme de l'onde est la combinaison de tous les points ayant le même tracé. Cette maquette composée de lattes pivotantes reliées à des ressorts montre le mouvement de l'onde.

Chaque latte, en oscillant, tord un ressort qui actionne la latte suivante. La vitesse de l'onde dépend des propriétés des lattes et des ressorts, tout comme la vitesse des ondes électromagnétiques est régie par les propriétés électriques et magnétiques de l'espace dans lequel elles se propagent.

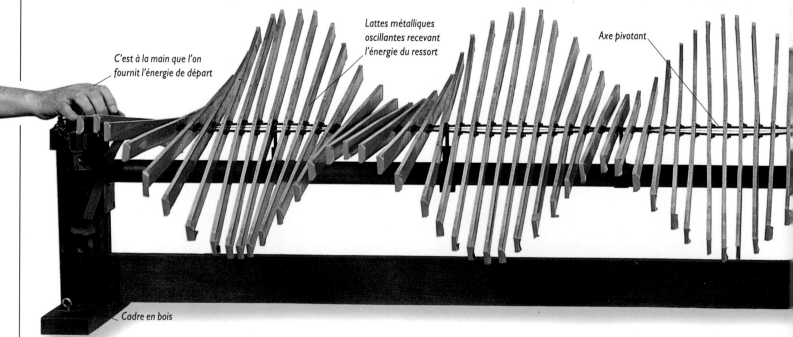

Lattes métalliques oscillantes recevant l'énergie du ressort

Axe pivotant

C'est à la main que l'on fournit l'énergie de départ

Cadre en bois

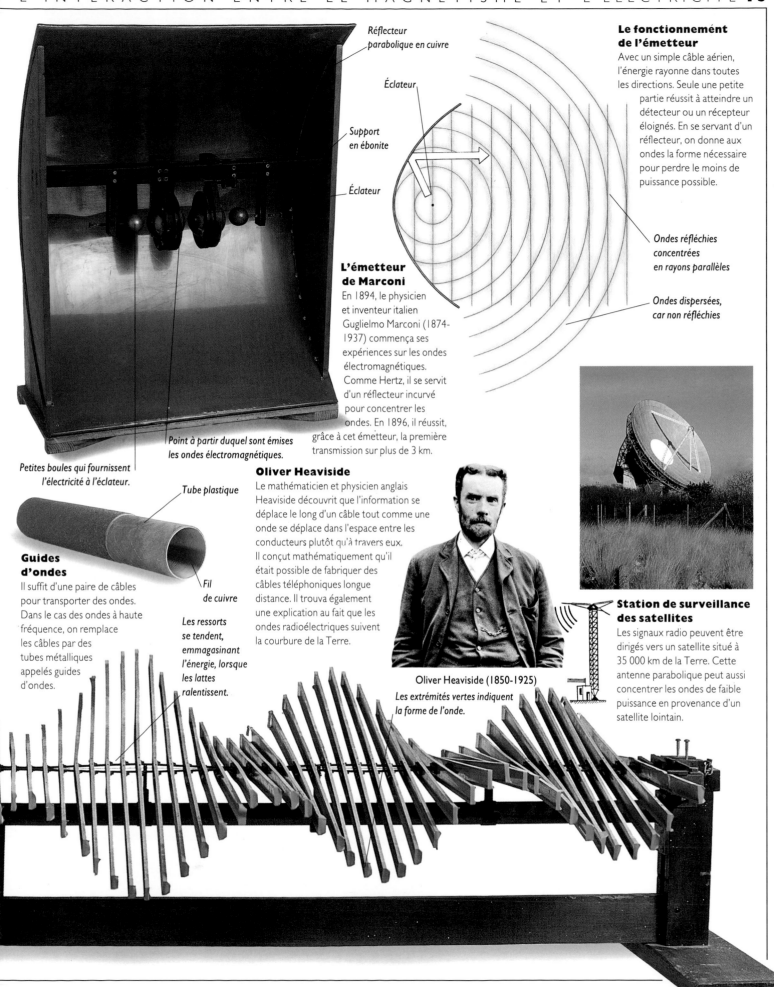

Réflecteur parabolique en cuivre

Éclateur

Support en ébonite

Éclateur

Le fonctionnement de l'émetteur

Avec un simple câble aérien, l'énergie rayonne dans toutes les directions. Seule une petite partie réussit à atteindre un détecteur ou un récepteur éloignés. En se servant d'un réflecteur, on donne aux ondes la forme nécessaire pour perdre le moins de puissance possible.

Ondes réfléchies concentrées en rayons parallèles

Ondes dispersées, car non réfléchies

L'émetteur de Marconi

En 1894, le physicien et inventeur italien Guglielmo Marconi (1874-1937) commença ses expériences sur les ondes électromagnétiques. Comme Hertz, il se servit d'un réflecteur incurvé pour concentrer les ondes. En 1896, il réussit, grâce à cet émetteur, la première transmission sur plus de 3 km.

Point à partir duquel sont émises les ondes électromagnétiques.

Petites boules qui fournissent l'électricité à l'éclateur.

Tube plastique

Guides d'ondes

Il suffit d'une paire de câbles pour transporter des ondes. Dans le cas des ondes à haute fréquence, on remplace les câbles par des tubes métalliques appelés guides d'ondes.

Fil de cuivre

Les ressorts se tendent, emmagasinant l'énergie, lorsque les lattes ralentissent.

Oliver Heaviside

Le mathématicien et physicien anglais Heaviside découvrit que l'information se déplace le long d'un câble tout comme une onde se déplace dans l'espace entre les conducteurs plutôt qu'à travers eux. Il conçut mathématiquement qu'il était possible de fabriquer des câbles téléphoniques longue distance. Il trouva également une explication au fait que les ondes radioélectriques suivent la courbure de la Terre.

Oliver Heaviside (1850-1925)

Les extrémités vertes indiquent la forme de l'onde.

Station de surveillance des satellites

Les signaux radio peuvent être dirigés vers un satellite situé à 35 000 km de la Terre. Cette antenne parabolique peut aussi concentrer les ondes de faible puissance en provenance d'un satellite lointain.

Les ondes électromagnétiques se propagent en un cycle continu de champs électriques et de champs magnétiques. Le nombre de répétitions par seconde des ondes s'appelle la fréquence, et chaque signal radio montre l'importance de la fréquence en électronique. Le fait que les ondes changent de forme est aussi un facteur important puisque c'est ce qui permet le transport des informations. Les électroniciens traitent une quantité infinie de formes d'ondes mais, lorsqu'il s'agit d'interpréter ces formes en termes de fréquences, ils en réduisent l'éventail. Une onde de n'importe quelle forme peut être définie comme la combinaison d'ondes plus simples de forme standard. La courbe qui représente l'amplitude en fonction du temps est appelée spectre.

Joseph Fourier (1768-1830)

L'analyseur d'harmoniques de Henrici

Dessiner un spectre mathématiquement est chose simple, mais fastidieuse – c'est un travail idéal pour une machine. Plusieurs de ces machines furent conçues au XIXᵉ siècle. Elles sont toutes équipées d'un pointeur relié au mécanisme avec lequel on trace l'onde à analyser. Cette machine, conçue par le professeur Olaus Henrici (1840-1918), repose sur le mouvement de trois billes de verre qui font tourner des cadrans gradués. Une fois la courbe tracée, les cadrans permettent de lire les différentes valeurs correspondant au tracé.

Les ondes régulières

Joseph Fourier (1768-1830), mathématicien français, mais aussi égyptologue, se rendit en Égypte avec Napoléon en 1798. Sa méthode d'analyse des ondes publiée en 1822 *(Théorie analytique de la chaleur)* ne représentait qu'une petite partie de ses travaux sur la propagation de la chaleur. Elle montre comment une onde peut prendre naissance à partir d'ondes plus élémentaires. Cette branche importante des mathématiques a largement contribué au développement des technologies modernes comme la reconnaissance électronique de la parole.

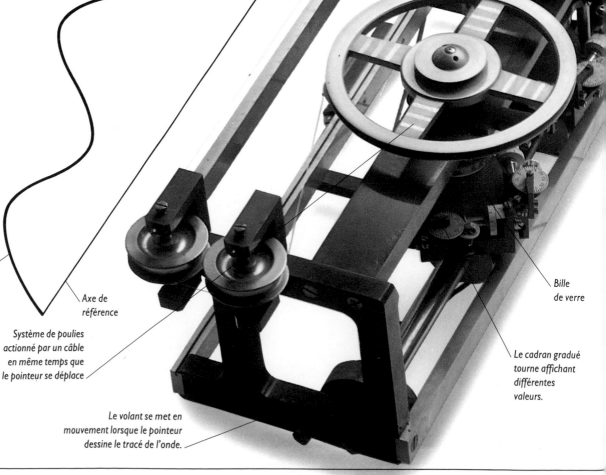

L'opérateur se sert du pointeur pour dessiner le tracé de l'onde.

Tracé sur papier du cycle d'une onde

Axe de référence

Système de poulies actionné par un câble en même temps que le pointeur se déplace

Le volant se met en mouvement lorsque le pointeur dessine le tracé de l'onde.

Bille de verre

Le cadran gradué tourne affichant différentes valeurs.

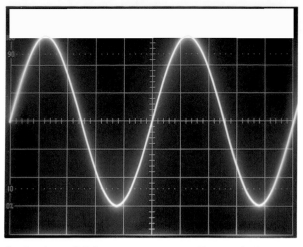

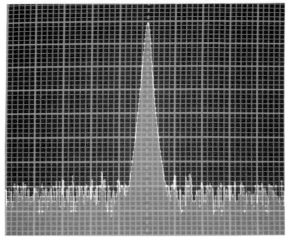

Onde sinusoïdale

Cette courbe simple est une onde sinusoïdale. C'est la forme de base que prennent des ondes plus complexes, analysées grâce à la méthode de Fourier. On visualise ce genre de courbe sur un oscilloscope. Sur l'écran de l'oscilloscope se dessine un graphe. Celui-ci représente la variation de l'amplitude du voltage du courant électrique qui passe dans l'appareil en fonction du temps.

Spectre d'une onde sinusoïdale

On pourrait penser que la plupart des ondes sont faites de plusieurs ondes sinusoïdales de différentes fréquences. L'analyseur de spectre utilisé pour produire cette image dessine un graphe représentant chaque fréquence. Une onde sinusoïdale pure n'est formée que d'une seule fréquence apparaissant sur l'analyseur avec un seul pic.

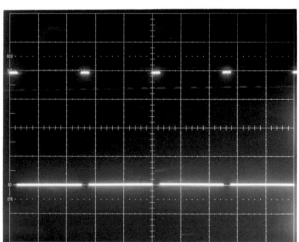

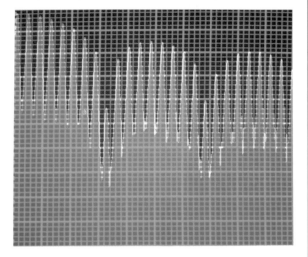

Les impulsions

Les impulsions sont des signaux très rapides reproduits ici sur l'écran d'un oscilloscope. On utilise de telles impulsions pour réguler les horloges, dans les téléviseurs et dans les ordinateurs. Des séries d'impulsions plus complexes permettent d'établir un code (p. 46-49) représentant des informations pour les ordinateurs ou les systèmes de communication.

Spectre d'une impulsion

Bien que ces impulsions se reproduisent à une fréquence semblable à celle de la courbe sinusoïdale (en haut à gauche), leur forme étroite et pointue montre qu'elles contiennent un grand nombre de hautes fréquences, caractérisées sur l'analyseur de spectre par une série de pics.

Le pendule

Galilée (1564-1642) pensa à utiliser les pendules pour fabriquer des horloges car ils oscillent à fréquences constantes. Si l'on connaît le nombre de battements à la seconde, il suffit de les compter pour suivre la progression du temps.

Galilée dessina son horloge à pendule en 1642, mais celle que l'on voit ici fut fabriquée en 1883. Les horloges à quartz reposent sur le même principe, mais le cristal de quartz vibre à une fréquence très supérieure à celle du pendule.

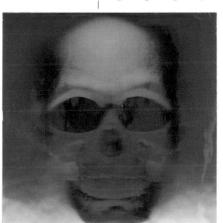

Spectre de la lumière

Nos yeux réagissent à la fréquence et à l'intensité des ondes lumineuses, mais pas à leur forme. Si l'on décompose la lumière blanche, la fréquence la plus haute est représentée par le violet, la plus basse, par le rouge, comme sur cet hologramme. La manière simple dont l'œil analyse la lumière permet avec trois fréquences seulement de représenter toutes les couleurs, comme le fait la télévision en couleurs (p. 44-45).

En électronique, la résistance joue le même rôle que le frottement en mécanique. Le frottement est parfois nuisible, mais sans lui, la vie serait impossible – les pneus n'adhéreraient plus à la route, les freins n'arrêteraient plus les voitures –, tout deviendrait incontrôlable. Sans la résistance, nous perdrions le contrôle des circuits électroniques. Quand une source de tension (force électromotrice) produit un courant à travers une résistance, il apparaît entre ses bornes une autre tension (ou différence de potentiel) qui s'oppose à la première et qui limite l'intensité du courant. Cet effet est utilisé, par exemple, pour éviter les courts-circuits des diodes électroluminescentes (p. 44-45). Très souvent, les tensions produites par les courants dans les résistances servent à la transmission d'informations ou à la commande des composants comme les transistors.

La loi d'Ohm

Le physicien allemand Georg Simon Ohm (1789-1854) découvrit que l'intensité d'un courant traversant un conducteur est toujours égale à la différence de potentiel entre les deux extrémités du conducteur divisée par une constante : la résistance. Ohm donna son nom à l'unité de mesure de la résistance, représentée par le symbole Ω.

ÉLÉMENTS PASSIFS

Comme les freins et l'embrayage en mécanique, les résistances chauffent quand elles fonctionnent, transformant une part de leur énergie en chaleur. Elles peuvent donc réduire la puissance d'un signal électrique mais jamais l'augmenter. Ce sont des éléments passifs.

Le freinage

Le frottement du patin de frein sur la roue réduit la vitesse d'une bicyclette. De la même façon, des résistances peuvent contrôler le courant d'un générateur en produisant des tensions inverses qui augmentent avec le courant.

Les patins frottent contre la roue, permettant le freinage.

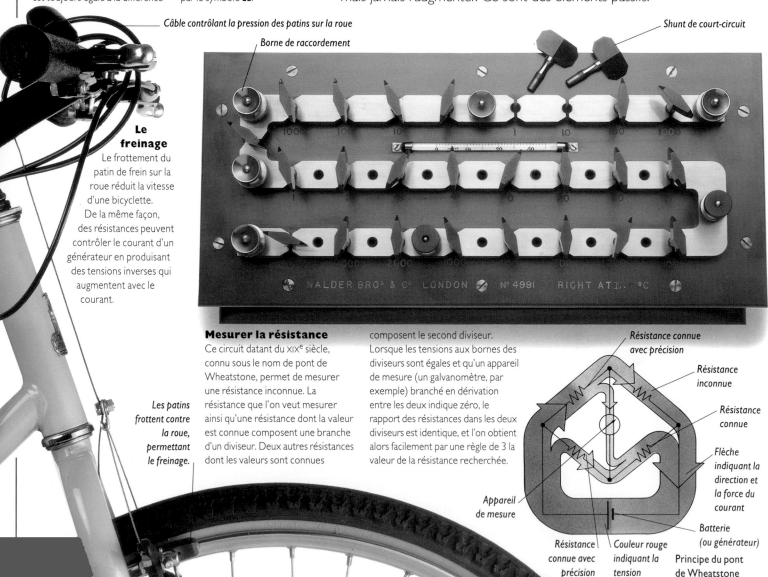

Câble contrôlant la pression des patins sur la roue

Borne de raccordement

Shunt de court-circuit

NALDER BROS & Co LONDON N° 4991 RIGHT AT... °C

Mesurer la résistance

Ce circuit datant du XIXᵉ siècle, connu sous le nom de pont de Wheatstone, permet de mesurer une résistance inconnue. La résistance que l'on veut mesurer ainsi qu'une résistance dont la valeur est connue composent une branche d'un diviseur. Deux autres résistances dont les valeurs sont connues composent le second diviseur. Lorsque les tensions aux bornes des diviseurs sont égales et qu'un appareil de mesure (un galvanomètre, par exemple) branché en dérivation entre les deux indique zéro, le rapport des résistances dans les deux diviseurs est identique, et l'on obtient alors facilement par une règle de 3 la valeur de la résistance recherchée.

Résistance connue avec précision

Résistance inconnue

Résistance connue

Flèche indiquant la direction et la force du courant

Batterie (ou générateur)

Appareil de mesure

Résistance connue avec précision

Couleur rouge indiquant la tension

Principe du pont de Wheatstone

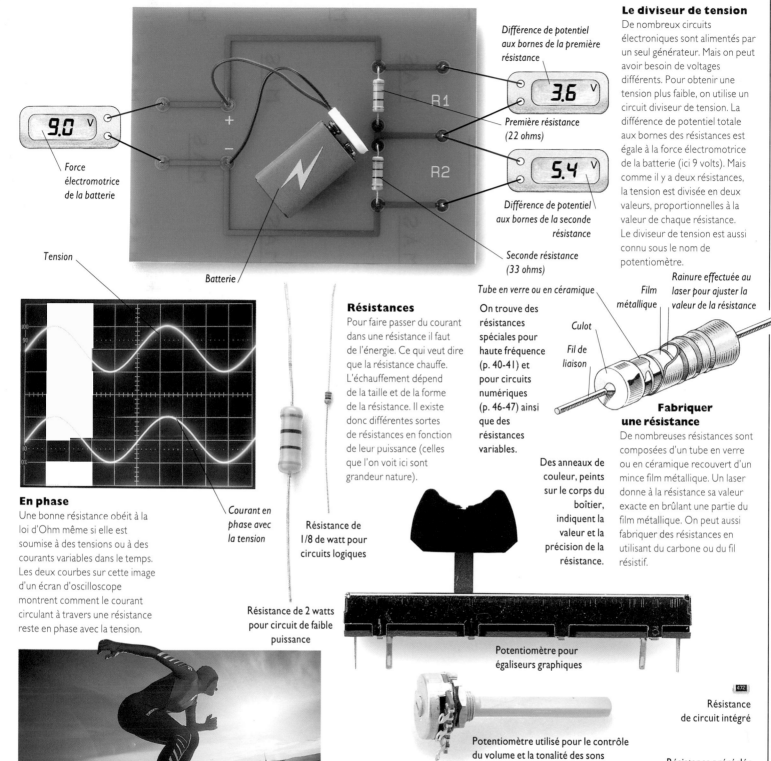

Force électromotrice de la batterie

9.0 V

Tension

Différence de potentiel aux bornes de la première résistance

3.6 V

Première résistance (22 ohms)

Différence de potentiel aux bornes de la seconde résistance

5.4 V

Seconde résistance (33 ohms)

R1

R2

Batterie

Le diviseur de tension

De nombreux circuits électroniques sont alimentés par un seul générateur. Mais on peut avoir besoin de voltages différents. Pour obtenir une tension plus faible, on utilise un circuit diviseur de tension. La différence de potentiel totale aux bornes des résistances est égale à la force électromotrice de la batterie (ici 9 volts). Mais comme il y a deux résistances, la tension est divisée en deux valeurs, proportionnelles à la valeur de chaque résistance. Le diviseur de tension est aussi connu sous le nom de potentiomètre.

Résistances

Pour faire passer du courant dans une résistance il faut de l'énergie. Ce qui veut dire que la résistance chauffe. L'échauffement dépend de la taille et de la forme de la résistance. Il existe donc différentes sortes de résistances en fonction de leur puissance (celles que l'on voit ici sont grandeur nature).

On trouve des résistances spéciales pour haute fréquence (p. 40-41) et pour circuits numériques (p. 46-47) ainsi que des résistances variables.

Tube en verre ou en céramique

Culot

Fil de liaison

Film métallique

Rainure effectuée au laser pour ajuster la valeur de la résistance

Fabriquer une résistance

De nombreuses résistances sont composées d'un tube en verre ou en céramique recouvert d'un mince film métallique. Un laser donne à la résistance sa valeur exacte en brûlant une partie du film métallique. On peut aussi fabriquer des résistances en utilisant du carbone ou du fil résistif.

En phase

Une bonne résistance obéit à la loi d'Ohm même si elle est soumise à des tensions ou à des courants variables dans le temps. Les deux courbes sur cette image d'un écran d'oscilloscope montrent comment le courant circulant à travers une résistance reste en phase avec la tension.

Courant en phase avec la tension

Résistance de 1/8 de watt pour circuits logiques

Des anneaux de couleur, peints sur le corps du boîtier, indiquent la valeur et la précision de la résistance.

Résistance de 2 watts pour circuit de faible puissance

Potentiomètre pour égaliseurs graphiques

Résistance de circuit intégré

Potentiomètre utilisé pour le contrôle du volume et la tonalité des sons

Résistance préréglée utilisée, par exemple, dans un téléviseur

186-166
100 W 47R ±5%

Résistance de 100 watts utilisée dans les appareils de grande puissance

Vitesse sur glace

Les patineurs contrôlent le frottement de deux façons. D'abord, les lames s'enfoncent dans la glace, ce qui permet au patineur de prendre appui pour avancer, tout comme on se sert de la résistance pour transformer le courant en tension utile. Puis, en pleine vitesse, les lames sont tournées afin de réduire le frottement, et le patineur continue à glisser en conservant son élan.

Un inducteur ou inductance est un électroaimant composé d'une bobine de fil, avec ou sans noyau magnétique, qui produit un flux magnétique lorsqu'un courant le traverse. Ce flux magnétique transforme l'inductance en réservoir d'énergie. L'accumulation ou la restitution de cette énergie demande un certain temps. C'est pour cette raison que dans l'étude des inductances comme dans celle des condensateurs (p. 20-21) on trouve la notion de temps. Les inductances empêchent les perturbations du secteur de pénétrer dans les circuits ou les signaux radio. Couplées à des condensateurs, elles deviennent des résonateurs électriques, capables de filtrer les signaux parasites (p. 34-35).

L'anneau de Faraday

En 1831, Michael Faraday découvrit qu'en faisant passer ou en arrêtant le courant dans l'un des fils de cet anneau métallique, on provoquait un rapide courant dans l'autre fil. Cet anneau désormais célèbre ressemble étrangement au transformateur d'aujourd'hui.

POUR MODIFIER LES FLUX

Les techniques de l'électronique moderne utilisent peu les inducteurs, car leur taille les empêche souvent d'entrer dans la composition des circuits intégrés (p. 52-53). Un transformateur est composé de deux ou plusieurs bobines ayant le même noyau. On l'utilise pour augmenter ou diminuer les tensions. Un changement de courant dans une bobine provoque des changements de flux magnétique qui atteignent toutes les autres bobines.

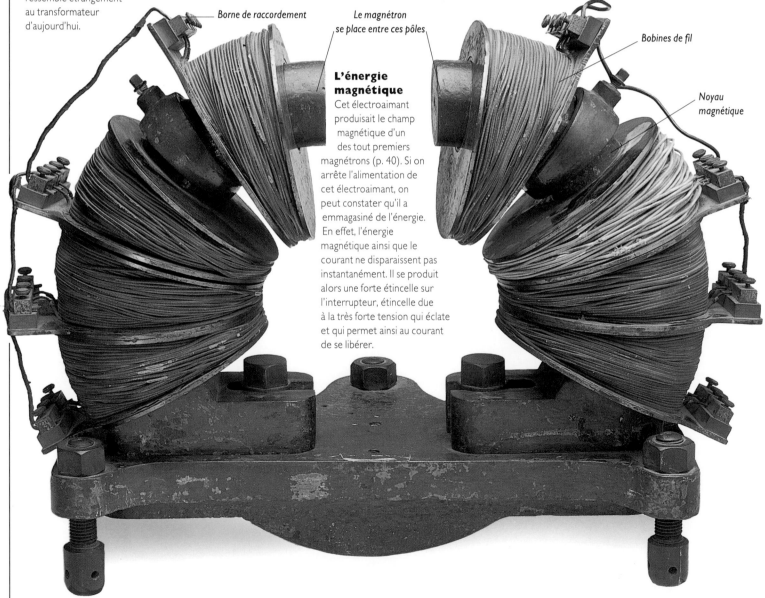

Borne de raccordement

Le magnétron se place entre ces pôles

Bobines de fil

Noyau magnétique

L'énergie magnétique

Cet électroaimant produisait le champ magnétique d'un des tout premiers magnétrons (p. 40). Si on arrête l'alimentation de cet électroaimant, on peut constater qu'il a emmagasiné de l'énergie. En effet, l'énergie magnétique ainsi que le courant ne disparaissent pas instantanément. Il se produit alors une forte étincelle sur l'interrupteur, étincelle due à la très forte tension qui éclate et qui permet ainsi au courant de se libérer.

Inductance spéciale empêchant les interférences du secteur

Fils de jonction secondaire (basse tension)

Enroulement secondaire fait de quelques fils épais

Enveloppe plastique externe

Isolation entre les enroulements

Enroulement primaire fait de nombreux fils de petite section

Fils de jonction primaire (tension de secteur)

Fils de jonction primaire

Noyaux métalliques

Fils de jonction secondaire

Transformateur
Ce transformateur d'alimentation est de conception simple mais très efficace.

Joseph Henry (1797-1878)

Joseph Henry
En 1830, l'Américain J. Henry découvrit qu'un changement de flux magnétique pouvait produire de l'électricité. En 1832, il mit en évidence l'auto-induction, propriété fondamentale des inductances, aujourd'hui appelée inductance propre ou *self-induction*. En reconnaissance de ses travaux, l'inductance se mesure en henrys (H).

Transformateur convertissant la tension d'alimentation en basses tensions

Enroulement

Couverture plastique

Dérailleur
Sur une bicyclette à changement de vitesses, on peut appuyer sur les pédales avec une force et une vitesse presque constantes, tandis que la force et la vitesse de la roue arrière peuvent varier sur une grande amplitude selon le pignon utilisé. Les transformateurs agissent de la même manière en réunissant les propriétés des tensions et des courants pour délivrer le maximum de puissance.

Transformateur audio pour coupler l'amplificateur au haut-parleur

Transformateurs
On utilise les transformateurs pour modifier la tension, mais aussi pour relier deux, voire plusieurs circuits à courant alternatif de voltages différents. Comme les condensateurs, ils peuvent aussi servir d'isolant, transférer des tensions alternatives entre des circuits qui doivent conserver des tensions différentes mais constantes. Les transformateurs sont de taille variable, du plus grand comme dans les centrales nucléaires au plus petit comme dans les bobines de radio. Les transformateurs que l'on voit ici sont grandeur nature.

Inductance commune

Inductance radio

Inductances
Les inductances se caractérisent par leur coefficient d'auto-induction : tension nécessaire pour faire varier leur courant d'un ampère par seconde. Pour qu'elles soient compactes, elles sont souvent constituées d'un noyau magnétique, généralement un isolant destiné à empêcher la déperdition des courants qui les traversent. Les inductances utilisées pour des courants très forts nécessitent un noyau important pouvant accepter un large champ magnétique.

Inductance à noyau pour fréquences audio

Oscillogramme
Ces deux courbes ont été dessinées par un oscilloscope. L'oscilloscope est un instrument qui visualise des variations électriques en fonction du temps. Il faut un certain temps au courant pour s'amorcer dans l'inductance. On constate, en effet, qu'il se trouve toujours décalé par rapport à la tension. Une variation régulière de tension donne naissance à un courant décalé d'un quart de cycle.

Tension sinusoïdale

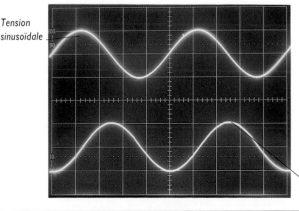

Courant déphasé d'un quart de cycle par rapport à la tension

Un condensateur est fait de deux ou de plusieurs plaques métalliques isolées dont chacune est reliée aux autres par l'un des deux fils qu'elle comporte. L'isolation, appelée communément diélectrique, empêche un courant constant de se propager. Cependant, si on relie le condensateur à une batterie, le courant passera rapidement puisqu'il y aura production de charges électriques sur les plaques, et ne s'interrompra que lorsque la tension croissante du condensateur égalera celle de la batterie. Dans ce processus, l'énergie en provenance d'une batterie est emmagasinée dans le diélectrique. Le fait que les condensateurs arrêtent les courants constants mais laissent passer les courants variables est fréquemment utilisé en électronique.

La bouteille de Leyde

Le condensateur est le plus ancien des composants électroniques. Au XVIIIe siècle, on pensait que l'électricité était un fluide qui traversait des conducteurs et que l'on pouvait recueillir dans des bouteilles comme celle-ci (en haut). Ces bouteilles sont de véritables condensateurs. Elles sont recouvertes intérieurement et extérieurement de feuilles métalliques jouant le rôle des plaques, le verre servant d'isolant. L'appareil produit une tension élevée : lorsque l'on tourne la poignée de la machine, un disque de verre vient frotter contre des coussinets en tissu, ce qui a pour effet de charger électriquement une autre bouteille située à proximité.

Comme un ballon

En soufflant dans un ballon, on le remplit d'air, et la pression augmente. Il arrive un moment où l'on ne peut plus faire entrer d'air sans faire éclater le ballon. De la même manière, le courant continu ne passe pas à travers le condensateur, mais il charge les plaques. La tension augmente, tandis que la charge électrique s'accumule sur les plaques. L'accumulation cesse quand la batterie ne peut plus entraîner aucune charge supplémentaire ou quand la tension est trop élevée. Poussé trop loin, le diélectrique explose comme le ballon.

Tension alternative

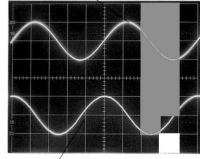

Courant alternatif

Oscillogramme

Pour qu'une charge se déplace à l'intérieur d'un condensateur, il faut un certain temps : la tension se trouvera décalée par rapport au courant qui la produit. Ce tracé montre comment une variation régulière du courant produit une tension identique mais en retard d'un quart de cycle.

Divers types de condensateurs

Chaque condensateur représente un compromis entre la taille, le rendement haute fréquence, la tension maximale et la capacité (rapport entre la charge et la tension). Le condensateur à film métallique est fait de plastique métallisé comme un paquet cadeau. Plusieurs plaques de plastique métallisé sont empilées et reliées à des fils, puis trempées dans du plastique. On voit ici trois types de condensateurs représentés grandeur nature.

Condensateur éliminant l'interférence causée par des moteurs électriques

Condensateur composé d'un film métallisé recouvert d'une couche de plastique

Condensateur variable miniature permettant une mise au point précise, utilisé dans les radios et les téléviseurs

Plaques de plastique métallisé

Connexion entre les plaques

Couverture plastique externe

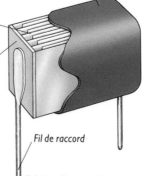

Fil de raccord

Schéma d'un condensateur à film métallisé

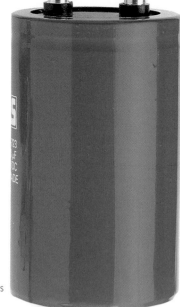

Borne négative

Borne positive

Papier imprégné chimiquement

Feuille d'aluminium

Boîte métallique

Isolation plastique

Miniaturisation

Les condensateurs peuvent être très gros. Pour réduire leur volume, on utilise des condensateurs électrolytiques qui, par réaction chimique, créent des couches isolantes de quelques molécules d'épaisseur. Parce que la capacité augmente et que l'épaisseur de l'isolation diminue, ce genre de condensateur emmagasine une grande quantité d'énergie dans un petit volume.

Pour fabriquer un condensateur électrolytique, on intercale deux bandes de métal avec du papier trempé dans une solution conductrice que l'on enroule dans une boîte métallique.

Le condensateur électrolytique

Les grands condensateurs électrolytiques comme celui-ci – représenté aux deux tiers de sa taille réelle – sont utilisés pour fournir une réserve d'énergie permettant un bon fonctionnement d'appareils puissants tels qu'un gros ordinateur. Pour un volume et une tension donnés, les condensateurs électrolytiques sont plus puissants que les condensateurs ordinaires.

Bienvenue grâce à l'électronique

Une nuée de lumières électroniques accueille chaque année les célébrités du festival de Cannes. Avant le flash électronique, les photographes se servaient d'ampoules munies d'un fil de magnésium.

Chaque ampoule ne pouvait être utilisée qu'une fois. Comme dans le flash électronique, les ampoules brûlaient grâce à la décharge d'un condensateur.

Un circuit électronique survolte la tension de la pile et charge le condensateur. Quand on appuie sur le bouton, on libère l'énergie emmagasinée en un millième de seconde environ.

Le flash

Le flash d'un appareil photo fonctionne en produisant une petite explosion de haute tension dans un tube en verre contenant un gaz. L'énergie électrique nécessaire est minime, mais elle doit être produite rapidement, car le flash est instantané. Une pile n'étant pas capable de fournir la tension et l'énergie nécessaires, on utilise un condensateur.

Flash

Condensateur

Circuit imprimé flexible

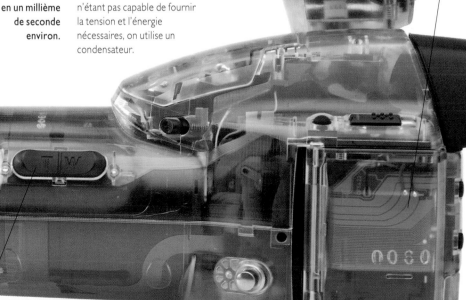

Objectif

Appareil photo SLR avec zoom et flash électronique

Commande du zoom

Tous les systèmes électroniques sont fabriqués à partir de quelques composants de base. Mais seuls, ils ne peuvent pas servir à grand-chose. C'est la façon dont ils sont interconnectés pour former un circuit qui fait de l'électronique une technologie riche et variée. La conception d'un circuit dépend, entre autres choses, de principes mathématiques dont la plupart ont été découverts au XIXᵉ siècle. Les règles de la propagation de l'électricité entre les composants ont été énoncées par Kirchhoff en 1845. Ces règles sont les clefs pour comprendre le fonctionnement d'un circuit. Pour de nombreuses fonctions de base, il existe des schémas tout faits dans des livres ou des circuits intégrés vendus dans le commerce.

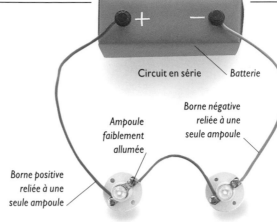

Circuit en série — Batterie

Ampoule faiblement allumée

Borne négative reliée à une seule ampoule

Borne positive reliée à une seule ampoule

En séries et parallèles

Les mêmes composants connectés de diverses façons peuvent réagir très différemment. Disposées en séries, les ampoules font office de diviseur de tension, et la force électromotrice de la batterie se partage entre elles, ne fournissant à chacune que peu de courant, d'où une lumière plus faible. Raccordées parallèlement, chaque ampoule reçoit toute la tension de la batterie de telle sorte que chacune brille normalement.

CIRCUITS IMPRIMÉS

Jusque dans les années 1960, la plupart des circuits étaient assemblés manuellement. Le développement des cartes à circuits imprimés – une plaque de plastique à trous pour recevoir les composants et des liaisons pour les connecter – a permis l'assemblage des circuits par des machines, ce qui réduit le coût des appareils électroniques.

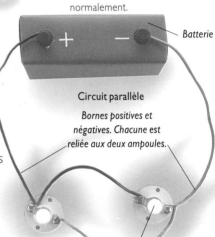

Batterie

Circuit parallèle

Bornes positives et négatives. Chacune est reliée aux deux ampoules.

Ampoule très brillante

Haut-parleur

La radio de Sargrove

John Sargrove (1906-1974), ingénieur britannique, construisit dans les années 1940 des machines capables de fabriquer non seulement des cartes à circuits imprimés mais aussi des radios complètes comme celle-ci. Ses machines fixaient des pièces métalliques sur des plaques, fabriquant ainsi des résistances, des inductances et des condensateurs. Elles permettaient aussi de fixer de gros composants tels que les supports de lampes. Seuls la fixation des lampes et les derniers réglages étaient effectués à la main.

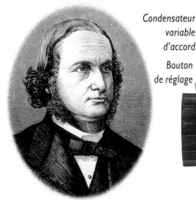

Condensateur variable d'accord

Bouton de réglage

Lampe radio

Vue latérale d'une radio de Sargrove

Les lois des circuits

L'Allemand Gustav Kirchhoff (1824-1887) étendit la loi d'Ohm au cas où plusieurs résistances sont connectées à plusieurs générateurs. Il établit que tout courant qui arrive en un point doit également en partir et que la différence de potentiel totale dans une branche d'un circuit est égale à la somme algébrique des différences de potentiel aux bornes de chaque élément de la branche.

Ces principes ont permis d'analyser mathématiquement des circuits complexes et de se servir de programmes informatiques pour faire des circuits.

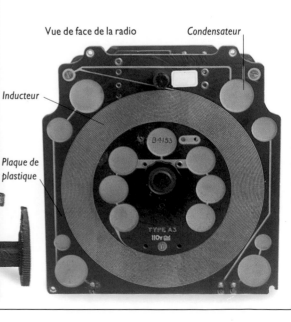

Vue de face de la radio

Condensateur

Inducteur

Plaque de plastique

Circuit à courant alternatif

La plupart des circuits électroniques sont porteurs de courants et de tensions dont l'amplitude varie périodiquement avec le temps d'une façon symétrique. Ce sont des circuits à « courant alternatif » (AC). Les inductances et les condensateurs réagissent différemment au courant alternatif. À basse fréquence, l'inductance offre peu de résistance au courant, entraînant une basse tension, tandis que le condensateur oppose une résistance beaucoup plus forte, produisant une tension plus élevée. À haute fréquence, c'est l'inverse. Les tensions aux bornes de l'inductance et du condensateur sont en opposition de phase.

Générateur de signaux variant des basses aux hautes fréquences

Ampèremètre mesurant le courant total en milliampères (mA)

280 mA

Tension importante aux bornes du condensateur

Tension plus faible aux bornes de l'inductance

Tension importante aux bornes de l'inductance

Tension plus faible aux bornes du condensateur

Inductance

Condensateur

Basse fréquence

Haute fréquence

Le courant est ici divisé en 90 et 190 mA.

La somme des courants sortants représente 280 mA.

Paul Eisler

Jusqu'à ce que l'ingénieur allemand Paul Eisler améliore la carte à circuit imprimé, les composants électroniques étaient assemblés à la main. Eisler utilisait des techniques d'impression qui permettaient de décaper une fine feuille de cuivre collée à des feuilles de plastique.

Paul Eisler (1907 - 1992)

90 mA

190 mA

2.0 V

6.2 V

4.2 V

La somme des tensions aux bornes de R1 et R4 représente 9 volts.

Voltmètre

9.0 V

R1

2.8 V

R2

R3

R4

La somme des tensions aux bornes de R1, R2 et R3 représente 9 volts.

Pile

Circuit à courant continu

À droite, circuit à « courant continu ». Les courants sont constants en fonction du temps. Les appareils de mesure illustrent les lois de Kirchhoff : la somme des courants qui partent d'un point est égale au courant qui y arrive.

Circuit reliant les composants

Carte à circuit imprimé

Les cartes à circuit imprimé comme celle-ci, provenant d'un ordinateur, sont fabriquées en plastique recouvert de cuivre. Cette couche de cuivre est attaquée chimiquement pour ne laisser que les circuits de liaison entre les composants. Une couche de laque protège la carte, sauf aux endroits où se trouvent les composants. Ceux-ci sont ensuite fixés par immersion de la carte tout entière dans un bain de soudure en fusion.

LE LANGAGE DE L'ÉLECTRONIQUE

Les électroniciens utilisent des unités de mesure pour l'électricité et pour les propriétés des composants. Ils utilisent aussi un code visuel donnant à chaque composant un symbole. Ces symboles peuvent être réunis pour former les schémas d'un circuit.

Unités de mesure

A = ampère (unité d'intensité du courant)
V = volt (unité de tension)
W = watt (unité de puissance)
Ω = ohm (unité de résistance)
H = henry (unité d'inductance)
F = farad (unité de capacité)
Hz = hertz (unité de fréquence)

Préfixes indiquant les fractions ou multiples des unités

P = pico $1/10^{12}$ ou 10^{-12}
n = nano $1/10^{9}$ ou 10^{-9}
μ = micro $1/10^{6}$ ou 10^{-6}
m = milli $1/10^{3}$ ou 10^{-3}
k = kilo 1 000 ou 10^{3}
M = mega 10^{6}
G = giga 10^{9}

Symboles

	Générateur de tension
	Résistance
	Potentiomètre
	Inductance
	Transformateur
	Condensateur
	Condensateur préréglé
	Condensateur électrolytique
	Diode
	Diode lumineuse
	Transistor bipolaire
	Transistor à effet de champ

Les découvertes d'Œrsted et de Faraday (p. 10-11) ont complètement transformé notre vie. C'est ainsi qu'un message télégraphié est transmis 100 millions de fois plus vite qu'à cheval ou par bateau, permettant aux nations de commercer instantanément dans le monde entier ; la lumière électrique éclaire mieux et coûte moins cher que le gaz ; son usage allonge les jours et donc les journées de travail ou de loisirs. Mais l'effet le plus marquant fut que l'Homme eut désormais le pouvoir de s'informer. Le télégraphe contribua à rendre le service du chemin de fer plus régulier et l'information des journaux plus rapide, puisque les nouvelles du monde arrivent sans délai. Certains de ces effets semblèrent magiques. Les travaux théoriques du mathématicien britannique James Clerk Maxwell (1831-1879) et du physicien allemand Heinrich Hertz (1857-1894) permirent vers 1900 de communiquer avec des navires en haute mer. Et ce grâce à des moyens modestes permettant de détecter et d'amplifier les faibles signaux qui traversent les océans et les continents.

Le morse

L'Américain Samuel Morse (1791-1872) découvrit qu'un seul fil conducteur suffisait pour transmettre un message. Il est l'inventeur de l'alphabet morse.

Cadran de réception

Cadran de transmission

Poignée pour actionner le générateur

Borne de raccordement

Touche de transmission des lettres

Commutateur de transmission/ réception

Télégraphe portable

Sir Charles Wheatstone (1802-1875) voulut faire de son télégraphe électrique un instrument aisé à manipuler. Ce télégraphe ABC de 1858 était si simple qu'il suffisait de quelques minutes d'entraînement à un opérateur pour savoir s'en servir. Pour envoyer un message, on actionnait une poignée et on appuyait sur des boutons. À l'intérieur, un générateur envoyait des impulsions électriques faisant tourner une aiguille sur le récepteur. L'aiguille s'arrêtait sur chaque lettre du message.

Aiguille aimantée

Borne de raccordement

La télégraphie sur les champs de bataille

En 1864, vers la fin de la guerre de Sécession, le général Ulysses Grant, à la tête de l'armée fédérale, pour rester en contact avec ses troupes dispersées, utilisa le télégraphe ; cela l'aida à vaincre l'armée confédérée.

Le galvanomètre de Siemens

Les dégâts occasionnés par les pluies ou les tempêtes sur les fils télégraphiques sont difficiles à localiser. On fabriqua des galvanomètres comme celui-ci, datant de 1890, pour repérer les anomalies par comparaison des courants circulant dans deux fils identiques. En cas de problème, la différence était importante. Il y avait à l'intérieur de cet appareil une aiguille aimantée placée au-dessus d'une paire de bobines. Les plots de raccordement étaient reliés aux fils du télégraphe que l'on voulait tester.

Communications et affaires

Grâce au téléphone, les communications d'affaires devinrent beaucoup plus rapides. La première ligne téléphonique entre Londres et Paris fut inaugurée très officiellement en 1891.

Alexander Graham Bell

Le transmetteur d'Edison était efficace, mais son récepteur n'était pas commode et disparut très vite.

Alexander Graham Bell

Physicien américain d'origine écossaise, Alexander Graham Bell (1847-1922) faisait des recherches dans l'intention de faire entendre les sourds, ce qui le conduisit,

en 1876, à mettre au point un appareil simple mais fiable fondé sur les propriétés du magnétisme et de l'électricité : le téléphone. Ce fut le premier appareil vraiment facile à utiliser pour communiquer à distance.

Le téléphone d'Edison

Cet appareil bizarre fut conçu par Thomas Edison (1847-1931). Il fallait qu'il évite d'utiliser le transmetteur et le récepteur déjà brevetés en 1876 par Bell.

Sonnerie signalant un appel

Le tambour situé à l'intérieur du récepteur est sensible aux courants qui arrivent.

Poignée pour faire tourner le tambour

Émetteur utilisant la résistance variable du carbone pour envoyer le message

Batterie fournissant le courant nécessaire au relais

Relais établissant la liaison entre le signal et le circuit

Le récepteur de Marconi

Transformateur pour améliorer la réception

Détecteur d'ondes (ou cohéreur)

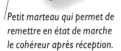

Le récepteur de Marconi

Ce récepteur de 1899 conçu par l'inventeur italien Guglielmo Marconi (1874-1937) détecte les messages envoyés par ondes radio. Grâce à cet appareil, les messages sont reçus exactement comme s'ils avaient été envoyés par câbles. L'élément principal est le détecteur d'ondes (ou cohéreur) qui permet le passage du courant seulement lorsqu'il y a présence des ondes radio. Un relais électromagnétique permet d'amplifier le courant du cohéreur.

Petit marteau qui permet de remettre en état de marche le cohéreur après réception.

Le transmetteur fait varier le courant en fonction de la position du crayon.

Le télégraphe de Cowper

Mécanisme d'entraînement des galets

Galets

Le télégraphe de Cowper

« Télégraphe » vient de deux mots grecs signifiant « écriture à distance ». En 1878, l'ingénieur britannique William Cowper (1819-1893) prit ceci à la lettre et conçut une machine capable de reproduire un message écrit par une personne se trouvant loin. Bien que fonctionnant d'après un principe tout à fait différent, cet appareil était un cousin éloigné du fax (télécopie) d'aujourd'hui (p. 60-61) ; il n'eut cependant pas de succès.

Ruban de papier

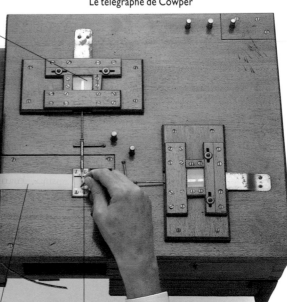

Galets entraînant le ruban de papier dans l'appareil

Message manuscrit qui sera reproduit par le récepteur du destinataire.

Crayon relié aux transmetteurs

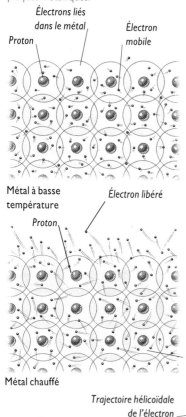

Tout ce qui nous entoure est composé d'atomes. Les atomes sont eux-mêmes composés de particules encore plus petites : les protons, les neutrons et les électrons. Les électrons sont les plus petites de ces particules. Chacun d'eux est chargé d'électricité négative.

Dans la plupart des matériaux, et plus particulièrement dans les bons isolants tels que le verre ou le plastique, les électrons sont maintenus à leur place par les protons dont la charge est positive et qui sont plus lourds. D'autres matériaux, en particulier les métaux, contiennent des électrons qui ont suffisamment d'énergie pour se libérer. Cela permet aux électrons de transporter l'électricité d'un point à un autre et explique pourquoi les métaux sont de bons conducteurs. Ainsi font-ils partie de tous les systèmes électriques. En chauffant les métaux, on donne encore plus d'énergie aux électrons.

Découverte de l'électron

En 1897, le physicien britannique J. J. Thomson (1856-1940) découvrit qu'il pouvait utiliser des matériaux différents pour obtenir des particules à charge négative ayant exactement les mêmes propriétés. Il donna à ces particules le nom d'électrons. Pour ses expériences, il se servit d'un tube en verre où il avait fait le vide et qui contenait des plaques métalliques.

Vide

Électrons liés dans le métal
Proton
Électron mobile

Structure électronique des métaux

Bien que les métaux contiennent des quantités d'électrons mobiles, peu de ces électrons ont suffisamment d'énergie à la température ordinaire pour se libérer de l'attraction électrique qui les maintient à l'intérieur de la matière. Le fait de chauffer modérément les métaux crée une différence d'énergie telle que de nombreux électrons sont libérés dans l'espace. Une fois libres, et de préférence dans le vide où il n'y a rien pour leur faire barrage, ils peuvent être guidés par un champ électrique ou un champ magnétique pour former un courant électrique contrôlé. C'est le principe de base du tube électronique (p. 28-29).

Robert Millikan
(1868 - 1953)

Métal à basse température
Proton
Électron libéré

Métal chauffé
Électron mobile

La charge électronique

Le physicien américain Robert Millikan (1868-1953) découvrit en 1911 la charge de l'électron en mesurant la charge électrique d'une goutte d'huile ($q = 1,6 \times 10^{-19}$ coulomb).

Amplificateur d'image

HEAD AMPLIFIER A1207

Le parcours d'un électron en mouvement

Un électron en mouvement produit un courant électrique et crée un champ magnétique. Un autre champ magnétique peut interférer avec ce dernier, donnant à l'électron une trajectoire variable : hélicoïdale comme dans un magnétron ou en ligne droite comme dans un klystron à haute puissance.

Trajectoire hélicoïdale de l'électron
Électron
Direction du champ magnétique

Aurore boréale

De telles images de ciel nocturne ne sont visibles que près des pôles. Ces phénomènes se produisent quand les électrons et les protons éjectés par le Soleil atteignent la couche supérieure de l'atmosphère et sont capturés par le champ magnétique terrestre.

Plaque photosensible
recouverte d'une mosaïque
de cellules photosensibles

Les premiers téléviseurs

Grâce à son objectif, la caméra de télévision explore l'image et la transforme en un faisceau d'informations qui sont transmises par câble. Pour donner l'impression de réalité et reproduire le mouvement, il faut que cela se fasse vite. Dans les années 1930, alors que la télévision en était à ses débuts, seul un faisceau d'électrons pouvait se déplacer suffisamment rapidement.

Objectif

Bobines de déviation

Produire des images

Dans cette caméra de télévision « Emitron », le faisceau d'électrons qui explorait l'image était émis par un canon situé à l'extrémité d'un tube incliné, balayant ligne par ligne la plaque photosensible grâce à l'action de champs magnétiques. La plaque photosensible était recouverte de milliers de minuscules globules d'alliage d'argent et de césium. Séparés d'une plaque métallique par une mince couche d'isolant, ces globules formaient des condensateurs photosensibles (p. 20-21) qui se chargeaient à la lumière d'une image. À chaque fois que le faisceau d'électrons atteignait un condensateur, ce dernier se déchargeait en envoyant le courant à un amplificateur (p. 30-31). Plus l'image était brillante, plus le courant était élevé.

Lampe

Canon à électrons

Électrons et expériences

Le physicien allemand Wilhelm Röntgen (1845-1923) faisait des expériences avec des rayons cathodiques, en 1895, lorsqu'il remarqua que ses tubes émettaient un rayonnement capable de franchir un obstacle. Il avait découvert les rayons X. Ces rayons sont émis chaque fois que des électrons qui se déplacent à grande vitesse rencontrent un obstacle. Les tubes de Röntgen étaient semblables à ceux de Thomson. Ils étaient en verre partiellement sous vide et équipés de plaques métalliques appelées électrodes. Sous haute tension, les électrons se trouvent arrachés de l'électrode négative (cathode) et attirés par l'électrode positive (anode). Les électrons peuvent rendre le verre ou tout autre écran luminescent. Si la tension est assez élevée, les électrons produisent des rayons X lorsqu'ils atteignent l'anode. Par la suite, les tubes à rayons X furent équipés d'une cathode chauffée.

Ampoule sous vide

Culot branché
sur l'alimentation
électrique

Cathode chauffée
émettant des électrons

Anode en tungstène
émettant des
rayons X quand les
électrons l'atteignent

Enveloppe en verre

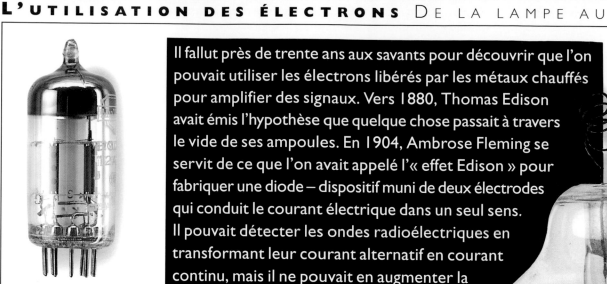

Il fallut près de trente ans aux savants pour découvrir que l'on pouvait utiliser les électrons libérés par les métaux chauffés pour amplifier des signaux. Vers 1880, Thomas Edison avait émis l'hypothèse que quelque chose passait à travers le vide de ses ampoules. En 1904, Ambrose Fleming se servit de ce que l'on avait appelé l'« effet Edison » pour fabriquer une diode – dispositif muni de deux électrodes qui conduit le courant électrique dans un seul sens. Il pouvait détecter les ondes radioélectriques en transformant leur courant alternatif en courant continu, mais il ne pouvait en augmenter la puissance. Quand Lee De Forest ajouta une troisième électrode, créant ainsi la triode, il fut alors possible de convertir un signal faible en un signal plus puissant. La triode fut le premier amplificateur.

La lampe miniature

Dans les années 1940, on vit apparaître de petits tubes électroniques en verre comme celui-ci. Ces lampes étaient très utilisées avant que les transistors ne les remplacent.

L'ampoule de Fleming

Sir John Ambrose Fleming (1849-1945), ingénieur et professeur britannique, fit des recherches sur les ampoules d'Edison en 1889. Il se servit d'ampoules comme celle-ci munies d'une électrode supplémentaire. En 1904, il découvrit que les électrons en provenance du filament (cathode) ne passaient que dans un sens, car ils étaient repoussés si le fil (ou anode) avait une charge plus négative que celle du filament. Il mit alors au point une lampe à « oscillation », qui redressait les ondes radioélectriques en les transformant en courant continu pouvant actionner un télégraphe.

Lampe Audion

Fil relié à la plaque (anode)

Fil d'alimentation de la grille

Plaque (anode)

Grille

Vide

Ampoule en verre

Vide

Filament (cathode)

Partie du culot alimentant négativement le filament

Partie du culot alimentant positivement le filament

La lampe audion ou triode

Inventée par Lee De Forest en 1906, la lampe audion n'était qu'une ampoule de phare de voiture revue et corrigée. La différence majeure par rapport aux premières lampes de Fleming était que De Forest y avait ajouté un fil supplémentaire ou « grille » placé sur le parcours des électrons. Cela permettait de contrôler le flux d'électrons.

Avec trois électrodes (filament, grille et plaque), la lampe audion était devenue une triode.

Ampoule de Fleming

Fils de connexion de l'anode

Filament de carbone

Anode

Socle en bois

L'ampoule d'Edison

En résolvant le problème de l'éclairage électrique, Thomas Alva Edison (1847-1931) posa les premiers jalons de l'électronique. Cherchant à comprendre pourquoi le verre de ses ampoules devenait noir, il découvrit que quelque chose passait du point positif au point négatif des filaments (émission électronique).

Fil d'alimentation de l'anode

Fil d'alimentation du filament

La vanne d'un oléoduc

Ces lampes fonctionnent comme les vannes d'un oléoduc. La pression dans le tuyau pousse le pétrole dans un sens. En plaçant une vanne à l'intérieur du tuyau, on maîtrise le débit. De la même manière, le flux d'électrons attirés de la cathode négative vers l'anode positive est contrôlé par la tension de la grille.

Le fonctionnement d'une triode

Une triode est une lampe munie de trois électrodes (fils ou plaques). Une électrode portée à haute température, la cathode, émet des électrons. Ceux-ci sont attirés vers l'anode, mais ils sont ralentis par la grille qui reçoit la tension variable que l'on veut amplifier, faisant ainsi varier le flux d'électrons. Le courant variable traverse une résistance (p. 16-17) aux bornes de laquelle on recueille la tension de sortie amplifiée.

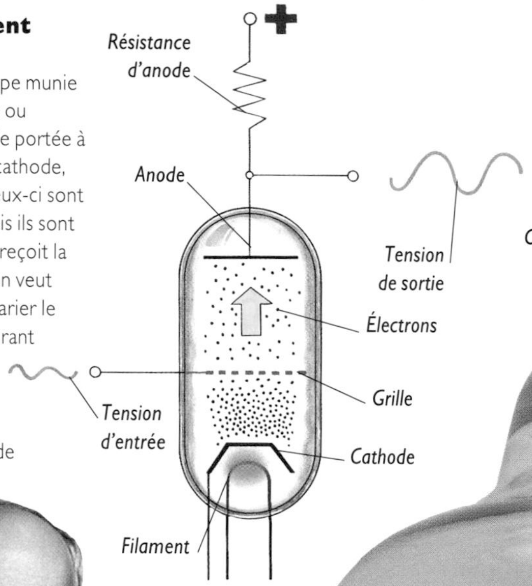

Résistance d'anode

Anode

Tension de sortie

Électrons

Grille

Tension d'entrée

Cathode

Filament

Lee De Forest (1873-1961)

L'Américain De Forest fut le premier à mettre au point un amplificateur électronique. En 1906, il ajouta une grille aux dispositifs existants, fabriquant ainsi la première triode.

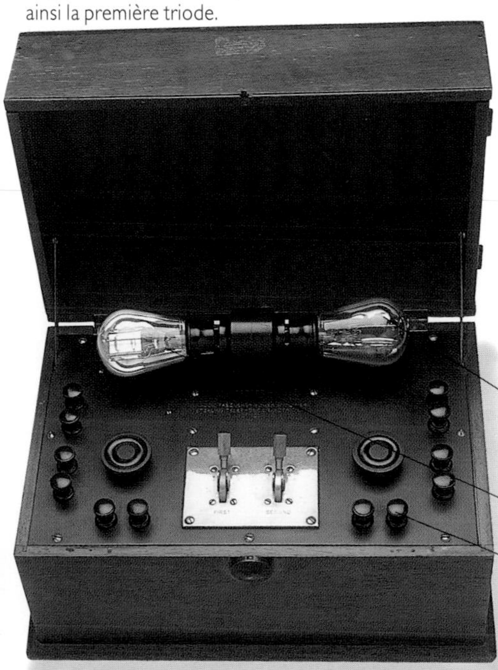

L'amplificateur de Sterling

Dans les années 1920, les lampes servaient d'amplificateurs et alimentaient les haut-parleurs, mais elles étaient coûteuses et peu puissantes. Cet amplificateur de 1925 générait à peine autant de puissance qu'un transistor radio moderne.

Revêtement d'argent absorbant l'air pour faire le vide

Lampe

Borne de raccordement au haut-parleur

Les triodes

Les tubes électroniques utilisent les électrons libérés par la chaleur (p. 26-27) ; on les appelle électrons thermo-ioniques, des mots grecs signifiant chaleur et mouvement. Les électrons sont contrôlés par des plaques ou des fils appelés électrodes. Cette lampe à haute puissance munie de trois électrodes est une triode.

Culot supérieur connecté à l'anode

Corps en verre

Anode de carbone

Vide

Broches connectées aux autres électrodes

Les amplificateurs transforment des signaux électriques de faible amplitude en signaux plus puissants. Ils permettent, à partir d'une petite quantité d'énergie, de commander des puissances beaucoup plus grandes. La fabrication des lampes ou des transistors amplificateurs nécessite le plus grand soin, car ils doivent restituer fidèlement la source sans la déformer. En 1927, Harold Black, grâce au principe de « contre-réaction », résolut ce problème : cet effet permet à l'amplificateur de corriger ses propres erreurs ; avec ce phénomène, on peut transformer un amplificateur en oscillateur (p. 33). L'amplificateur peut aussi, dans certaines conditions, jouer le rôle d'un commutateur variable. Les ordinateurs comportent une multitude de ces commutateurs. En effet, dans ces appareils, l'information contrôle beaucoup plus de renseignements que d'énergie, ce qui démontre les grandes possibilités de l'amplificateur.

Le mégaphone
Un amplificateur ne sert pas uniquement à rendre les choses plus grandes ou plus fortes. Un véritable amplificateur transforme la puissance brute en puissance maîtrisée. Le mégaphone donne des sons plus forts mais n'est pas un amplificateur, car il ne fait qu'utiliser plus efficacement la puissance de la voix.

Un ampli domestique
Pour écouter la radio en famille, un amplificateur est indispensable. Sinon, on aura recours à un casque, car les circuits d'une radio ne délivrent pas assez de puissance pour faire fonctionner un haut-parleur.

L'amplificateur audio
Les premières radios n'étaient pas très puissantes, c'est pourquoi on leur adjoignait souvent des amplificateurs. Ce chef-d'œuvre bricolé de la fin des années 1920 possédait une alimentation de très grande puissance. Il était également muni de deux lampes dont les actions s'équilibrent par réaction réciproque (montage push-pull) (p. 42-43).

Capsule de carbone dont la résistance varie avec les vibrations.

N° 1907

S.G.BROWN'S
TELEPHONE RELAY
ACTON
LONDON W.

Borne de connexion

Le répéteur de Brown
Amplifier un signal variant continuellement, comme un appel téléphonique, n'était pas chose facile sans l'électronique. En 1918, on installa le répéteur de Brown dans les centraux téléphoniques pour améliorer la qualité des appels à longue distance. Il reposait sur le pouvoir amplificateur qu'avait le microphone à granules de carbone, utilisé dans les téléphones (p. 25). Le répéteur contient l'un de ces microphones accouplé à une lame métallique qui reproduit le son de l'appel que l'on veut amplifier.

Signal radio en entrée : 0,000 000 001 watt

Bobines créant le flux magnétique

Bobines de réception des courants téléphoniques

Lame métallique vibrant dans un champ magnétique

Perte de chaleur : 2 W

Sortie de l'étage amplificateur intermédiaire : 0,01 W

Perte de chaleur : 1,95 W

Perte de chaleur : 2 W

Amplificateur intermédiaire
2 W

Amplificateur audio
4 W

Alimentation

Sortie son. Puissance efficace : 0,05 W

Haut-parleur

Sortie audio : 2 W

Perte de chaleur : 2 W

Puissance en entrée : 8 W

La radio
Un récepteur radio utilise une série d'amplificateurs qui, partant de la source - en général la prise de courant du secteur - conduisent le courant jusqu'au haut-parleur, sous le contrôle d'une petite quantité d'énergie provenant de l'antenne. En effet, la quasi-totalité de la puissance est perdue sous forme de chaleur.

1962-96 PT.

Condensateur filtrant la tension d'alimentation

Transformateur modifiant la tension d'alimentation pour l'adapter à l'amplificateur

Gros inducteur

Lampe à haute puissance faisant fonctionner le haut-parleur

Tube redresseur convertissant le courant alternatif en courant continu pour l'alimentation des lampes

Lampe de faible puissance

Résistance variable

Harold S. Black (1898-1983)
En 1927, Harold S. Black découvrit que soustraire une petite partie de la puissance de sortie d'un amplificateur de sa puissance d'entrée, tout en réduisant son amplification, réduisait aussi la distorsion. Les mathématiques démontraient que ce « retour négatif » ou contre-réaction pouvait transformer un mauvais amplificateur en un bon. Ce principe est toujours appliqué.

Transformateur de sortie fournissant la puissance adaptée au haut-parleur

Relais de puissance

Amplificateur opérationnel

Amplificateur audio

Les composants
Bien que n'étant pas un véritable amplificateur, le relais peut être utilisé pour commuter des courants puissants ou connecter ou déconnecter des signaux. Des amplificateurs disponibles tels que les circuits intégrés (p. 52-53) peuvent assurer plusieurs fonctions. L'amplificateur audio peut fournir plus de 20 watts à un haut-parleur approprié. Les composants que l'on voit ici sont représentés grandeur nature.

Réglage du volume

Les roues, en répétant inlassablement le même mouvement, transmettent aux machines énergie, mouvement et rythme. En électronique, les oscillateurs ont la même fonction : en reproduisant sans cesse les mêmes courants, les mêmes tensions, ils sont capables de mettre en mouvement un rayon d'électrons, de provoquer des impulsions pour contrôler un ordinateur, ou de générer des ondes porteuses de signaux à travers l'espace. On peut fabriquer un oscillateur en reliant la sortie d'un amplificateur à sa propre entrée, à travers un dispositif qui retarde les signaux. Si le retard est calculé de sorte que, pour une fréquence donnée, les tensions d'entrée et de sortie de l'amplificateur s'équilibrent, elles se renforcent mutuellement et reproduiront continuellement le même schéma.

Le cristal de quartz

On introduit des cristaux de quartz dans les dispositifs qui nécessitent une fréquence constante et précise. Ils sont piézo-électriques : sous tension, ils se déforment, ces déformations produisant elles-mêmes une tension électrique. Un amplificateur dont l'entrée se fait à partir d'un cristal de quartz en vibration peut faire vibrer la mince particule de quartz jusqu'à 10 millions de fois par seconde.

Électrode en or

Cristal de quartz

Corps en verre

Les touches contrôlent la longueur de vibration des cordes et en fixent ainsi la fréquence.

Corde métallique

Aimant permanent

Bobine

Capteur magnétique

Capteur réglable / micro

Capteur réglable / micro

Contrôle du volume et de la tonalité

Liaison de sortie avec l'amplificateur

Liaison d'entrée de la guitare

Haut-parleur

Amplificateur

Comment produire des notes de musique

Chaque oscillateur est composé de trois éléments : un élément qui règle la fréquence, un amplificateur et un circuit de réaction. Une guitare électrique munie d'un amplificateur et d'un haut-parleur peut se comporter exactement comme un oscillateur. Les oscillateurs produisent des ondes à l'infini, tandis que la guitare électrique, elle, n'en est pas capable parce que son circuit de réaction est imparfait. Si l'on pince la corde d'une guitare, on provoque une vibration dont la fréquence est définie, et cette vibration s'amortit rapidement. Si l'on ajoute un capteur (micro), la corde métallique vibre près de l'aimant, donnant naissance à une tension que l'on peut transmettre à un amplificateur. Dans ce cas, le son qui est restitué par un haut-parleur est plus fort et dure plus longtemps.

LES OSCILLATEURS

Les oscillateurs de relaxation accumulent de l'énergie jusqu'à ce qu'ils provoquent le déclenchement d'un interrupteur qui vide l'énergie et fait démarrer un nouveau cycle. La fréquence de ces oscillateurs n'est pas très régulière. Les oscillateurs d'ondes sinusoïdales accumulent l'énergie sous une forme aux dépens d'une autre forme et inversement. Bien qu'il ne produise qu'une seule sorte d'ondes, ce type d'amplificateur est précis et largement utilisé en électronique.

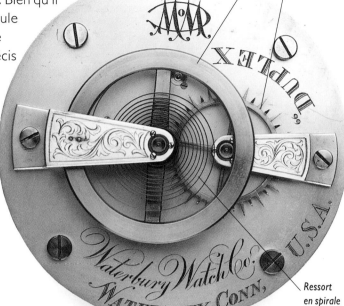

Balancier circulaire

Roue d'échappement

Ressort en spirale

Épouvantail à eau

En se remplissant d'eau, ce balancier de bambou bascule, se déchargeant alors de son eau (effrayant tout animal qui aurait pénétré dans le jardin), puis l'appareil bascule en sens inverse et se remplit à nouveau. L'équivalent électronique de ce dispositif est un condensateur qui se charge et se décharge suivant la position d'un interrupteur.

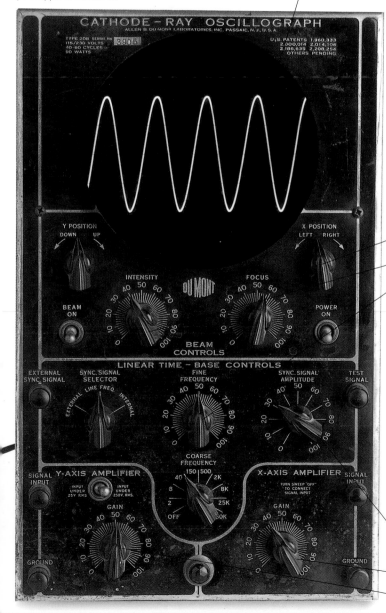

Tube à rayon cathodique

Contrôle de la position horizontale

Contrôle de la luminosité

Contrôle de la fréquence de balayage

Contrôle de la synchronisation, pour obtenir une image fixe

Amplificateur horizontal

Amplificateur vertical

Échappement

Cet oscillateur mécanique emmagasine l'énergie servant à actionner le balancier circulaire et à déformer le ressort. L'énergie passe de l'un à l'autre, tandis que le balancier accélère ou ralentit le mouvement et que le ressort s'enroule ou se déroule. L'échappement joue le rôle d'un amplificateur emmagasinant l'énergie. Son équivalent électronique est un condensateur couplé à une inductance transformant l'énergie électrique en énergie magnétique pour produire des oscillations haute fréquence.

L'oscilloscope

Jusqu'à ce que le scientifique allemand Ferdinand Braun (1850-1918) invente en 1897 un oscilloscope à rayon cathodique, la visualisation des ondes produites par un oscillateur était impossible. Celui-ci fut fabriqué vers 1945. Un oscillateur interne envoie en permanence un faisceau d'électrons qui balaie l'écran. La tension d'entrée fait bouger le faisceau de haut en bas, dessinant l'image de l'onde. Les oscilloscopes modernes font apparaître les images numériquement sur des écrans d'ordinateurs (p. 56-57).

À la trace

En équipant les manchots d'un appareil radio émetteur, les scientifiques peuvent étudier leur comportement. Cet appareil est à la fois un oscillateur d'ondes sinusoïdales et un oscillateur de relaxation qui transmet l'information par petits à-coups afin d'économiser la batterie.

Les filtres sont des instruments familiers, présents dans notre vie quotidienne. Dans la cuisine ou dans le jardin, ils sélectionnent les choses par leur taille. En électronique, les filtres (p. 14-15) laissent passer les signaux à basse ou à haute fréquence ou un signal de fréquence déterminée, en bloquant les autres. Les filtres sont nécessaires, car les signaux sont faits d'une variété de fréquences qui ne sont pas toutes utiles.

La jauge à essence

Lorsque la voiture démarre, il faut quelques secondes pour que l'aiguille se stabilise. La jauge à essence d'une voiture indique le niveau du caburant dans le réservoir. Lorsque la voiture passe sur des cassis, la lecture reste possible, car la jauge est équipée d'un filtre passe-bas pour éviter les changements brusques.

Tamiser

Un tamis est l'équivalent d'un filtre passe-bas en électronique. Tout ce qui ne dépasse pas une certaine taille passe à travers le tamis. Tout ce qui reste dans le tamis résulte d'un filtre passe-haut.

LE RÔLE DES FILTRES

Une antenne radio, par exemple, peut capter une multitude de stations, mais le filtre n'en laisse passer qu'une. Certains filtres bloquent tout ce qui se trouve au-dessus d'une fréquence donnée, permettant de réduire le « sifflement » des bandes de cassettes usagées. Ils peuvent aussi faire barrage aux basses fréquences, empêchant le « ronflement » d'un vieil électrophone. Les filtres peuvent fonctionner grâce aux techniques analogiques ou numériques (p. 46-47). Les filtres numériques, grâce à des microprocesseurs (p. 58-59) rapides, transforment mathématiquement le signal en un autre signal sans les fréquences indésirables.

La réponse du filtre forme une large bande montrant que le filtre laisse passer des signaux indésirables.

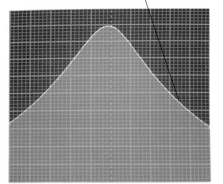

Bouton de réglage ou de syntonisation

Condensateur variable

Premier circuit radio accordé

Jusque dans les années 1980, des composants comme celui-ci assuraient la sélection des stations radio. On utilise une inductance fixe et un condensateur variable – reliés à un bouton de réglage (de syntonisation)

– pour former un filtre passe-bande qui sera accordé sur la fréquence de la station choisie. Dans ce récepteur de fabrication artisanale de la fin des années 1920, le signal passe à travers de tels filtres, chacun d'eux devant être accordé manuellement.

Les filtres passe-bande

Les filtres passe-bande font barrage à la fois aux basses et aux hautes fréquences, mais laissent passer une bande de fréquence choisie.

Ce tracé montre comment un filtre de qualité moyenne peut laisser passer aussi bien les signaux indésirables que ceux de la bande choisie.

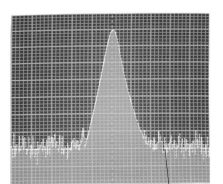

Fréquences indésirables réduites

Le filtre étroit

Un filtre passe-bande utilisant une inductance et un condensateur résonant à une fréquence située au centre de la bande rejette les fréquences inutiles. Le tracé montre que quelques fréquences utiles sont aussi rejetées.

Inducteur fixe

Lampe

Fréquences rejetées

Bande fréquence FM choisie

Le filtre à modulation de fréquence

Des filtres ordinaires ne peuvent pas être utilisés pour des signaux radio FM, dont le spectre est très large (p. 49). Les filtres équipés de résonateurs accordés sur différentes fréquences peuvent produire une

réponse qui, comme le montre l'image de cet analyseur, est plate, assurant une bonne sélection de la bande choisie. Les résonateurs sont souvent composés de cristaux de quartz ou de plaques de céramique.

Le filtre mécanique

Certains filtres peuvent absorber presque toute l'énergie du signal à rejeter. Les ressorts et les amortisseurs de cette moto sont un véritable filtre passe-bas mécanique. Ils transforment l'énergie destructrice que la moto libère lorsqu'elle touche le sol en énergie inoffensive. Le filtre isole partiellement le conducteur du mouvement vertical des roues, rendant la course un peu plus confortable.

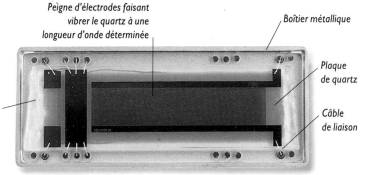

Peigne d'électrodes faisant vibrer le quartz à une longueur d'onde déterminée

Boîtier métallique

Plaque de quartz

Câble de liaison

Plastique absorbant empêchant les ondes de se réfléchir

Un composant de radar et de télévision

Les structures des filtres peuvent à la fois faire barrage aux grandes ondes et laisser passer les autres. Mais les ondes électromagnétiques se déplacent à une telle vitesse que cela impliquerait que ces structures soient grandes. En transformant les ondes en de petites ondulations plus lentes à la surface d'une plaque de quartz, on peut fabriquer des filtres à « ondes de surface acoustiques » compactes et efficaces.

Les filtres passe-bas et passe-haut

Les filtres ne sont jamais parfaits. Ces deux images montrent qu'au lieu de faire complètement barrage aux fréquences indésirables le filtre laisse passer un peu de leur puissance. Comme dans tous les filtres, il existe une région où les signaux ne sont ni complètement arrêtés ni complètement libres de passer. Sur l'écran de l'analyseur de fréquences, les hautes fréquences sont situées vers la droite.

Réglage d'une radio

Les postes récepteurs radio modernes sont équipés d'un filtre variable accouplé à un filtre de fréquence fixe. Pour sélectionner une station, on transforme sa fréquence en lui donnant la fréquence fixe du filtre, et ce en mélangeant le signal avec celui que génère un oscillateur à fréquence variable (p. 32-33).

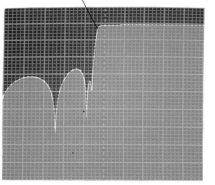

Fréquence de coupure basse

Un filtre passe-haut laisse passer les fréquences au-dessus de leur fréquence de coupure.

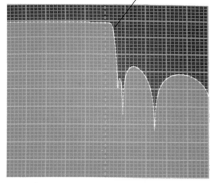

Fréquence de coupure haute

Un filtre passe-bas imite le filtre passe-haut, laissant seulement passer les basses fréquences.

« Œil magique » dont la lumière est au maximum si le réglage est bon

Cadran de réglage indiquant les fréquences des stations radio

Bouton de sélection FM

Bouton de réglage ou de syntonisation

Les semi-conducteurs sont des conducteurs électriques qui sont presque des isolants. À la différence des métaux, dans les semi-conducteurs, seuls quelques électrons arrivent à se libérer alors que les autres sautent d'un atome à l'autre, laissant des espaces vides ou « trous ». Ces trous agissent comme des charges positives et se déplacent en sens inverse de celui des électrons. En ajoutant des impuretés aux semi-conducteurs par un procédé appelé dopage, on change le sens de conduction. Il y a alors naissance de structures solides dans lesquelles les électrons sont contrôlés électriquement.

Le cristal de silicium

Le silicium est de loin le semi-conducteur le plus utilisé. Comme ceux de son rival et prédécesseur le germanium, les atomes de silicium ont quatre électrons périphériques, mais à la différence du germanium, le silicium n'est pas rare. C'est, après l'oxygène, l'élément qui existe en plus grande quantité sur terre. Ses électrons sont moins mobiles que ceux du germanium, mais il est moins sensible à la chaleur. On obtient de gros cristaux comme celui-ci en tirant lentement vers le haut un germe plongé dans une cuve de silicium en fusion.

Le récepteur à cristal

Le récepteur à cristal, célèbre dans les années 1920, fut appelé ainsi, car il était composé d'un semi-conducteur : le cristal. En tournant un mince fil métallique, le « chercheur » dans le détecteur à galène, on pouvait trouver un endroit du cristal où un courant passait à sens unique. Ce courant permettait au signal sonore porté par les ondes radioélectriques de faire fonctionner les écouteurs.

Le médaillon de silicium

Depuis près d'un siècle, on connaît les propriétés du silicium. Cette pièce faisait partie d'un détecteur radio avant d'être montée en médaillon. Elle se trouvait sur le premier cargo britannique équipé d'une radio (1910), le SS *Nonsuch*.

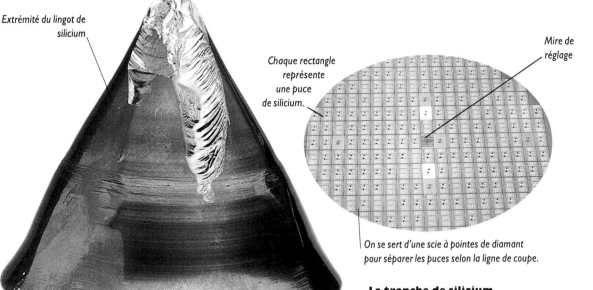

Extrémité du lingot de silicium

Chaque rectangle représente une puce de silicium.

Mire de réglage

On se sert d'une scie à pointes de diamant pour séparer les puces selon la ligne de coupe.

La tranche de silicium

En découpant et en polissant un gros cristal semi-conducteur, on obtient de minces disques ou « tranches » sur lesquelles viendront s'implanter des composants électroniques microscopiques, donnant ainsi des circuits intégrés (p. 52-53). On utilise le silicium, car il est bon marché et résistant.

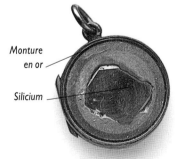

Monture en or

Silicium

Corps du cristal

Une substance abondante

L'élément de base des puces électroniques est le sable, mélange de silicium et d'oxygène. En faisant fondre le sable avec d'autres éléments, on peut extraire le silicium. Mais, pour obtenir un cristal de bonne qualité, il faudra le débarrasser de ses impuretés (jusqu'à ce qu'il y en ait moins d'un atome par milliard).

Le germanium

Le chimiste russe Dimitri Mendeleïev (1834-1907) mit au point un tableau dans lequel les éléments ayant un rapport entre eux apparaissaient par groupes en lignes verticales. D'après les cases vides, il put déduire les propriétés des éléments encore inconnus. Il appela l'élément de la case située en dessous de celle du silicium « Ekasilicium », le « silicium *bis* ». Ce semi-conducteur fut découvert en 1886 par l'Allemand Clemens Winkler (1838-1904) qui lui donna le nom de son pays : germanium.

Le dopage

Le silicium est peu conducteur. Peu d'électrons arrivent à se libérer de leurs atomes. Quand ils y parviennent, d'autres prennent leur place, laissant à leur tour des trous. Électrons et trous en mouvement sont en nombre égal et, porteurs, chacun, de la moitié du courant. En ajoutant dans le silicium des atomes ayant cinq

Dimitri Mendeleïev (1834-1907)

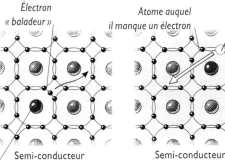

Semi-conducteurs

Le tableau périodique

La plupart des éléments de ce tableau sont des métaux. Une vingtaine à droite n'en sont pas. Les semi-conducteurs se trouvent entre les deux. Certains ne sont semi-conducteurs que dans des situations particulières.

électrons en périphérie, on a plus d'électrons et un silicium de « type n », qui est un meilleur conducteur. Si l'on ajoute des atomes avec trois électrons en périphérie, on a plus de trous et un silicium de « type p ».

Électron éjecté, laissant un trou

Semi-conducteur « intrinsèque »

Impureté

Électron « baladeur »

Semi-conducteur de type n

Atome auquel il manque un électron

Trou en mouvement

Semi-conducteur de type p

Cordon de la cathode

La diode au silicium

Un cristal de silicium dopé dont les régions de type p et de type n ont été mises en contact pour faire une jonction forment une diode, dispositif qui conduit l'électricité dans un seul sens. Les trous passent de la zone de type p à la zone de type n tandis que les électrons font le chemin inverse. Il se crée alors, au niveau de la jonction, une zone vide de charges mobiles qui empêche tout mouvement des porteurs. Si l'on polarise la jonction en direct, c'est-à-dire que l'on relie la zone n à la borne - d'un générateur et la zone p à la borne +, on facilite

le passage des porteurs, et la diode est alors conductrice. Si l'on inverse la tension, la diode arrête le passage du courant. Cette grande diode (les deux diodes sont ici grandeur nature) est utilisée dans les installations de grande puissance. Elle peut supporter 400 volts et laisser passer un courant de 240 ampères.

Petite diode

Petite et rapide

Cette petite diode de silicium sert à contrôler des signaux. Elle peut fonctionner à de hautes fréquences grâce à sa petite taille.

Plot de l'anode

Diode de puissance

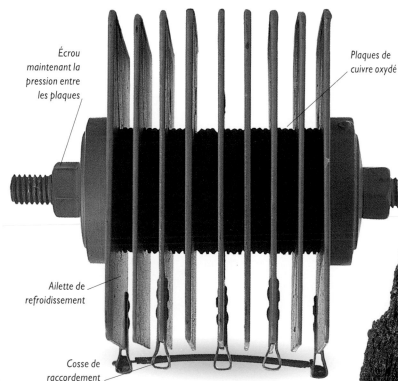

Écrou maintenant la pression entre les plaques

Plaques de cuivre oxydé

Ailette de refroidissement

Cosse de raccordement

Le redresseur de métal

Le cuivre en contact avec l'oxyde de cuivre est un semi-conducteur. Il est beaucoup plus conducteur dans un sens que dans l'autre – il forme une diode. Dans les maisons, on

utilisait des plaques de cuivre oxydé empilées les unes sur les autres pour redresser la tension des installations électriques et donner le voltage constant nécessaire aux lampes.

Le carborundum

Si l'on mélange du silicium à du carbone, on obtient un élément semi-conducteur dur et irisé, appelé carbure de silicium ou carborundum. Largement employé dans les premiers détecteurs radio, il n'est plus utilisé aujourd'hui que comme abrasif.

En 1947, le fait que l'on comprenne mieux la physique des solides permit la création du transistor, semi-conducteur amplificateur dont l'impact fut immense. Les premiers appareils semi-conducteurs étaient des diodes (p. 37) qui, grâce à leur conduction à sens unique, sont toujours utiles pour transformer le courant alternatif en courant continu (p. 22-23). Mais le transistor allait remplacer un composant électronique de base, la triode (p. 37). Il a les mêmes fonctions de commutation et d'amplification que la triode, sans son enveloppe de verre fragile et sans ses inconvénients (gourmande en puissance et chauffant facilement). À ses débuts, le transistor fut conçu pour remplacer les commutateurs électromécaniques des standards téléphoniques. Quarante années de développement l'ont transformé en un élément microscopique gravé dans la surface d'une tranche de silicium (p. 52-53). De nombreux appareils aujourd'hui familiers nous seraient inconnus sans le transistor. Un magnétoscope serait huit fois plus volumineux et un ordinateur occuperait toute une pièce.

Dans la rue
Le poste à transistor fut à l'origine de l'explosion d'informations. Vers la fin des années 1950, cet homme, né avant l'électronique, pouvait écouter les informations dans la rue.

PLUSIEURS FONCTIONS

Certains transistors sont faits pour amplifier des signaux radio basse fréquence. D'autres, plus lents, peuvent fournir des courants et des tensions élevés. Il existe aussi des composants que l'on relie aux transistors, mais avec d'autres fonctions. Le thyristor, par exemple, fonctionne comme un interrupteur mécanique.

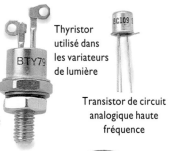

Thyristor utilisé dans les variateurs de lumière

Transistor de circuit analogique haute fréquence

Transistor d'alimentation dans un boîtier plastique

Transistor à pointe

Enveloppe de plastique

Transistor à jonction

Fil de liaison

Les premiers transistors
William Shockley (1910-1989), à la tête de l'équipe qui inventa le transistor à pointe, poursuivit ses recherches, qui aboutirent à un appareil plus fiable : le transistor à jonction. Les transistors à pointe furent fabriqués commercialement jusqu'en 1950 sur le même principe que l'invention de 1947. Deux fils de contact et une liaison de base étaient placés sur un cristal de germanium, puis scellés dans un boîtier métallique. Ces appareils étaient loin d'être fiables et leurs signaux étaient parasités. Dans le transistor à jonction, les fils capteurs furent remplacés par des zones de germanium de type p diffusé dans une base de type n.

L'ancêtre
Cette réplique du premier transistor en état de marche mesure environ 10 cm de haut ; il ressemble au détecteur des premiers appareils radio, mais c'est un semi-conducteur amplificateur. Deux fils sont en contact avec la surface du cristal de germanium tandis qu'un troisième est relié à la base. Un changement de courant dans un des fils provoque une réaction plus importante dans l'autre.

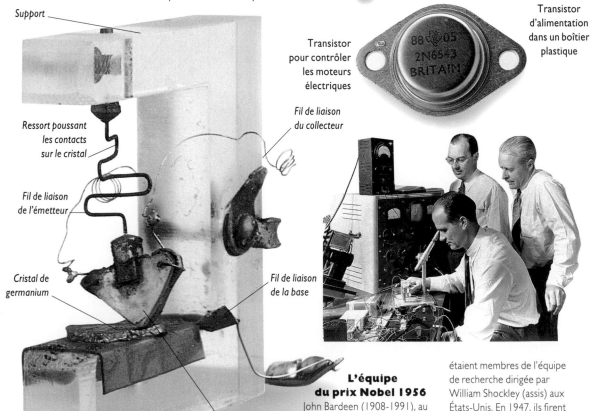

Support

Ressort poussant les contacts sur le cristal

Fil de liaison de l'émetteur

Cristal de germanium

Bloc en contact avec le cristal

Transistor pour contrôler les moteurs électriques

Fil de liaison du collecteur

Fil de liaison de la base

L'équipe du prix Nobel 1956
John Bardeen (1908-1991), au fond à gauche, et Walter Brattain (1902-1987), à droite, étaient membres de l'équipe de recherche dirigée par William Shockley (assis) aux États-Unis. En 1947, ils firent une démonstration du premier amplificateur semi-conducteur.

Réglage
des stations
émettrices

Réglage
du volume

Le transistor à effet de champ (TEC)

Les puces d'ordinateur sont presque entièrement composées de TEC. Deux régions de type n (source et drain) sont séparées par un « canal » de type p. Il n'y a que peu d'électrons pour faire passer le courant, mais si une électrode isolée (la grille) devient positive, les électrons dispersés dans la région p s'amassent dans le canal, permettant au transistor de fonctionner.

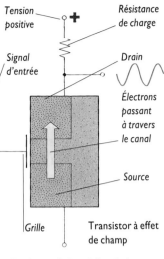

Tension positive

Résistance de charge

Signal d'entrée

Drain

Électrons passant à travers le canal

Source

Grille

Transistor à effet de champ

Le poste à transistor portable

Dans les années 1960, le transistor était pour la plupart des gens la petite radio portable et non le dispositif révolutionnaire qu'elle contient. On avait déjà fabriqué des appareils portables avec des lampes, mais leurs piles étaient souvent trop lourdes ou elles se déchargeaient trop vite.

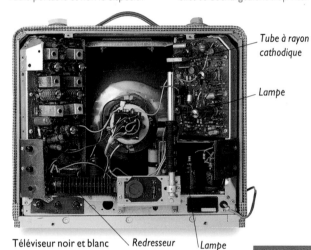

Tube à rayon cathodique

Lampe

Téléviseur noir et blanc des années 1960

Redresseur métallique

Lampe

Tension positive nécessaire pour la polarisation

Résistance de charge

Collecteur

Électrons se déplaçant dans cette direction

Émetteur

Signal de sortie

Quelques électrons perdus

Base

Transistor bipolaire

Le transistor bipolaire

Le transistor bipolaire équipe de nombreux amplificateurs. Il est composé d'une couche de type p (la base) prise en sandwich entre deux couches de type n (l'émetteur et le collecteur). C'est comme deux diodes reliées dos à dos qui laissent passer le courant normalement. En faisant en sorte que la base soit plus positive que l'émetteur, on permet aux électrons de l'émetteur de se déplacer vers la base. Ainsi, les électrons diffusent de l'émetteur vers le collecteur, sous le contrôle de la tension de la base.

Le téléviseur à transistor

Les premiers téléviseurs étaient équipés de lampes (voir ci-dessus). Dans les années 1970, on remplaça les lampes par des transistors. Leur châssis (à droite) est surtout occupé par le tube cathodique qui fait apparaître les images sur l'écran et par les composants qui fournissent les hautes tensions nécessaires. Les transistors, eux, sont presque invisibles. Dans les années 1980, les transistors deviennent encore plus petits et disparaissent dans les circuits intégrés (p. 52-53).

Tube à rayon cathodique

Liaison haute tension

Alimentation haute tension

Circuit de réglage du son

Circuit image

Résistance préréglée

Haut-parleur

Liaison antenne

Téléviseur couleur des années 1970, équipé de transistors

Transistor

Circuit d'alimentation

Circuit de balayage

Lorsque les fréquences des ondes électromagnétiques atteignent des valeurs supérieures à 1 milliard de hertz, comme pour les micro-ondes, leur longueur d'onde devient proche de la taille d'une carte à circuit imprimé. Les conducteurs se mettent à disperser des parties de l'onde de telle sorte que les tensions et les courants ne respectent plus les lois des circuits. Les composants passifs changent de comportement, les résistances sont transformées en inductances et les inductances en condensateurs. Les composants actifs peuvent cesser leur activité tous ensemble. On doit alors fabriquer des composants et des circuits plus petits, changer le mode de propagation des ondes ou les deux. Même les électrons peuvent être trop lents pour les micro-ondes, c'est pourquoi on utilise souvent dans les amplificateurs de très grandes fréquences, des semi-conducteurs particuliers. On a de bonnes raisons pour apprivoiser ces ondes peu banales. Les micro-ondes permettent plus aisément la transmission des informations. Contrairement aux ondes plus longues, elles peuvent pénétrer l'ionosphère et rendre possible la communication avec l'espace.

Le four à micro-ondes
C'est un ingénieur américain, Percy Le Baron Spencer (1894-1970), qui eut l'idée du four à micro-ondes (1945) après avoir trouvé dans sa poche un bonbon fondu qui avait été exposé aux micro-ondes.

Ombres projetées par de gros objets

Piste d'envol

Avion

Image radar d'un aéroport
À gauche, l'aéroport de Londres Heathrow vu par un radar. Tandis que la fréquence des micro-ondes augmente, leur longueur d'onde diminue ; elles se comportent alors comme des ondes lumineuses. Avec une longueur d'onde de quelques millimètres, ce radar peut restituer les bâtiments et les avions de façon détaillée.

Le fonctionnement d'un radar
Les antennes d'un radar émettent de petites impulsions de micro-ondes et attendent leurs échos. Après chaque impulsion apparaît à l'écran un point qui se déplace du centre vers les bords. L'écho des objets proches revient plus vite et apparaît donc à l'écran plus près du centre.

Ce magnétron est l'ancêtre de celui qui équipe tous les fours à micro-ondes.

Le magnétron
Les physiciens britanniques John Randall (1905-1984) et Harry Boot (1917-1983) fabriquèrent le prototype de ce magnétron en 1940. Il faisait tourbillonner les électrons dans le champ d'un puissant électroaimant (p. 18) produisant des ondes de 10 cm de longueur et de 40 watts de puissance.

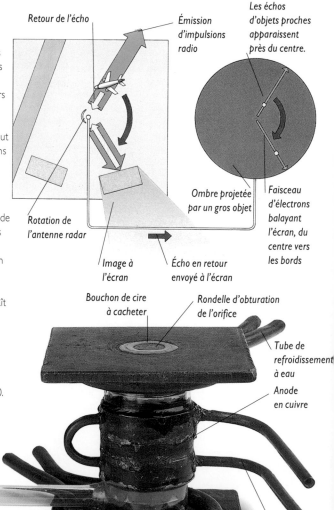

Retour de l'écho

Émission d'impulsions radio

Les échos d'objets proches apparaissent près du centre.

Rotation de l'antenne radar

Ombre projetée par un gros objet

Faisceau d'électrons balayant l'écran, du centre vers les bords

Image à l'écran

Écho en retour envoyé à l'écran

Bouchon de cire à cacheter

Rondelle d'obturation de l'orifice

Tube de refroidissement à eau

Anode en cuivre

Détection par radar
Depuis les années 1930, le radar est un moyen de détecter et de mesurer la position des objets par émission d'ondes radio haute fréquence en direction de ces objets et par le calcul du temps que met l'écho de ces ondes pour revenir après contact sur l'objet.

Cet auxiliaire féminin de l'Air Force surveille un radar pendant la Seconde Guerre mondiale.

Branchement vers la pompe à vide

Plaque sur laquelle repose un pôle de l'électroaimant.

Tube de refroidissement à eau

1946-107

La télévision par satellite

L'idée d'émettre par satellite n'est pas neuve. Mais ce n'est que récemment que la technologie des micro-ondes est devenue suffisamment fiable et abordable. On utilise les micro-ondes dont la fréquence est supérieure à 10 milliards de hertz, car ce sont des ondes qui pénètrent facilement l'atmosphère. L'antenne parabolique est une reproduction miniature des énormes paraboles que l'on utilise pour l'émission de signaux en direction des satellites. À la réception, la puissance d'un signal de télévision après un voyage dans l'espace de 70 000 km est extraordinairement faible. Mais l'amplificateur à faible bruit parvient toujours à amplifier le signal et à diminuer sa fréquence afin que le récepteur puisse mieux le lire.

Perforations du réflecteur qui le rendent plus léger

Tête réceptrice faible bruit amplifiant le signal et réduisant sa fréquence

Cône avec son écran d'étanchéité

Station relais

Les micro-ondes permettent la transmission d'informations en grande quantité. Même de petits réflecteurs peuvent concentrer les micro-ondes en faisceaux étroits qui forment des liaisons de point en point comme des lignes de téléphone, de télévision ou d'ordinateur, grâce à des relais.

Arceau de fixation de la parabole

Le klystron

De nombreux appareils électroniques mis au point ces dernières années sont équipés de tubes électroniques spéciaux inventés dans les années 1930. Celui-ci de 40 cm de haut est un amplificateur à klystron provenant d'une station de surveillance de satellite. Il repose sur le fait étrange que les micro-ondes accomplissent plusieurs cycles dans le même temps qu'il faut à un électron pour aller de la cathode à l'anode.

Signal d'entrée

Ailettes de refroidissement

Ondes en provenance du satellite

Câble d'alimentation de la tête réceptrice

Ondes réfléchies

Cône

Tête réceptrice

L'antenne parabolique

L'antenne capte et concentre les micro-ondes de l'espace dans une tête réceptrice à faible bruit. Un amplificateur augmente les signaux sans les parasiter. La fréquence du signal est alors réduite avant d'être envoyée, par le câble, vers le récepteur.

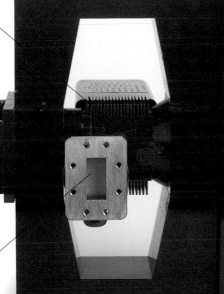

Raccordement haute tension

Guide d'ondes de sortie

Câble transportant le signal au récepteur

Aimant empêchant le faisceau d'électrons de se disperser

Si l'électronique se limitait à l'électricité, elle serait de bien peu d'utilité. Pour être utile dans la vie quotidienne, il lui faut des appareils capables de transformer les tensions et les courants en sons, lumière et forces. De même, les appareils électroniques ont besoin du monde physique pour être convertis en signaux électriques. Les appareils capables d'accomplir ces conversions sont appelés transducteurs ou capteurs. Ils peuvent modifier le type d'énergie porteuse d'informations sans modifier les informations elles-mêmes. Le haut-parleur en est un exemple qui nous est familier : il convertit le courant électrique en son. Les capteurs peuvent à présent détecter n'importe quoi, depuis la radioactivité jusqu'à la fumée, et produire des effets allant des sons qui vous percent les oreilles jusqu'aux lumières les plus doucement tamisées.

David Hughes (1831-1900)
Hughes inventa un télégraphe qui eut beaucoup de succès. Alors qu'il faisait des expériences sur le son, il mit au point un transducteur efficace. Il était si sensible qu'il l'imagina comme un microscope du son et lui donna le nom de microphone.

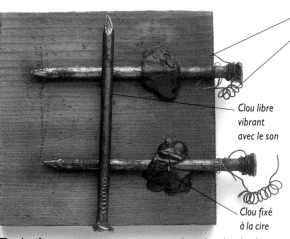

Socle en bois aidant à capter le son
Fil de contact
Clou libre vibrant avec le son
Clou fixé à la cire

Trois clous pour détecter le son
Hughes découvrit que les contacts électriques mobiles étaient particulièrement sensibles aux vibrations. Cet agencement de trois clous ordinaires peut être considéré comme l'une des plus simples découvertes scientifiques (1878). Les microphones basés sur le principe de Hughes sont des transducteurs bien plus efficaces que le téléphone de Bell.

Le microphone radio
Le transducteur le plus célèbre est sans doute le microphone. Celui-ci fut utilisé par la BBC de 1934 à 1959. De petits changements de pression dus aux ondes sonores font vibrer un petit ruban d'aluminium (moins d'un millième de millimètre d'épaisseur) placé entre les pôles d'un gros aimant, produisant ainsi des courants qui imitent l'onde sonore avec une précision étonnante.

Microphone à ruban AXBT BBC-Marconi

Ce microphone fut mis au point par AXBT.

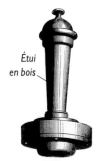

Étui en bois

Le courant fait vibrer le diaphragme

Aimant

Diaphragme métallique

Le premier téléphone
Le premier transducteur capable de traiter des signaux variables dans le temps fut le téléphone d'Alexander Graham Bell (1876). Il pouvait convertir le son en ondes électromagnétiques et inversement. Les vibrations d'un mince diaphragme métallique envoyaient des courants dans des fils enroulés autour d'un aimant. À l'inverse, les courants passant dans les fils faisaient vibrer le diaphragme. En plaçant des instruments comme celui-ci à chaque extrémité d'un câble, Bell avait fabriqué le premier téléphone.

Une diffusion mondiale
La chaîne électronique qui diffuse la voix de la BBC à travers le monde commence et se termine par des transducteurs : un microphone dans un studio et un haut-parleur chez un lointain auditeur.

Le fonctionnement d'un haut-parleur

La plupart des haut-parleurs sont faits d'un cône de papier ou de plastique relié à une bobine. Les courants traversant la bobine provoquent une aimantation qui s'oppose au champ magnétique de l'aimant permanent monté sur l'extrémité de la bobine. Cela met en œuvre des forces qui poussent et tirent le cône en fonction de la variation des courants. Le cône, à son tour, par ses mouvements de va-et-vient génère des ondes qui nous parviennent sous forme de sons.

Membrane souple

Joint caoutchouc

Cône en plastique

Aimant permanent

Bobine mobile en aluminium

Armature métallique

Espace où circule le champ magnétique

Pièces polaires créant un champ magnétique autour du ruban

Ruban en aluminium réagissant au son

Pièce polaire

Aimant permanent

Raccordement au ruban

Écrou de fixation

Intérieur d'un microphone

Haut-parleur hifi

La conception des haut-parleurs est particulièrement délicate, car l'oreille est capable de détecter les moindres erreurs de conversion des signaux électriques en sons. Ce haut-parleur de 1974 est équipé de transducteurs différents pour les basses et les hautes fréquences. Un filtre (p. 34-35) permet à chaque transducteur de ne recevoir que les signaux dont il a besoin.

Inductance avec filtre de liaison

Panneau frontal de l'enceinte

Haut-parleur haute fréquence

Condensateur équipé d'un filtre de liaison

Aimant

Haut-parleur basse fréquence

Bouton de remise à zéro

Affichage à cristaux liquides

Extrémité métallique sensible à la température

Étui

Éclairage commandé

Sans les transducteurs, on devrait éteindre et allumer les réverbères manuellement ou avec un programmateur. Les capteurs électroniques munis de transistors sensibles à la lumière sont maintenant suffisamment abordables pour équiper chaque réverbère. Il n'est pas nécessaire de les régler en fonction des changements de saison, et les lampes s'allument même le jour, par mauvais temps, quand la luminosité diminue.

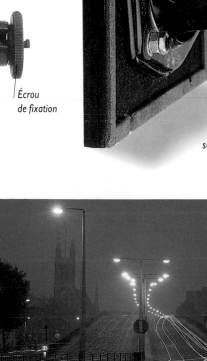

Réaction à la chaleur

À l'extrémité de ce thermomètre électronique se trouve une petite résistance sensible à la chaleur qui chauffe quand on utilise l'appareil. Une puce électronique située dans le corps de l'instrument convertit la résistance variable en un nombre lisible. Ce thermomètre est beaucoup plus rapide que les appareils traditionnels et contient bien moins de mercure, substance toxique.

Dans un équipement électronique, la première chose qui nous frappe, c'est l'affichage. Bien que l'on ait fait des progrès dans le domaine des voix synthétiques, l'interaction se fait principalement par les images. Leurs moyens d'affichage varient de l'écran d'ordinateur à la simple lampe témoin. Les graphiques informatiques paraissent très modernes, et pourtant c'est sur un appareil inventé en 1897 – le tube à rayon cathodique (TRC) – qu'on les voit. En dépit de tous les efforts déployés pour lui trouver un remplaçant plus petit et moins coûteux, le TRC est toujours l'appareil qui offre les meilleures images. Il apporte plus de détails, une meilleure luminosité et peut être visionné sur un champ plus large que n'importe lequel de ses concurrents. Mais si vous n'avez pas besoin d'images, il y a une foule d'autres possibilités. Les affichages à cristaux liquides (LCD) qui consomment peu, les diodes électroluminescentes (LED ou témoin) ou les affichages électromécaniques peuvent donner des messages clairs et précis. Les affichages fluorescents fonctionnent sur les mêmes principes que le TRC.

Plus grand que le réel

On ne peut pas fabriquer de très grands écrans de téléviseur. Cependant de petits tubes à rayons cathodiques (TRC), s'ils sont utilisés avec des objectifs, peuvent projeter des images de 2 mètres de large, et des projecteurs équipés d'une lampe à arc, contrôlés par un TRC, peuvent faire encore mieux. Mais les tubes à décharge utilisés, par exemple, dans les enseignes publicitaires peuvent eux aussi former une grande image. Grâce à l'électronique, on peut découper l'image en plusieurs parties et envoyer chacune d'elles sur des milliers de tubes rouge, vert et bleu qui reproduisent la partie de l'image envoyée en couleur.

Le tube de la TV couleur

Ce tube est composé de trois canons à électrons correspondant chacun à la couleur rouge, verte et bleue. Ces trois couleurs primaires, mélangées, peuvent reproduire toutes les autres couleurs. Ce tube est équipé d'un masque perforé, situé près de l'écran, dont les trous permettent à chaque point de l'écran de recevoir les électrons d'un canon bien défini. En effet, tous les points de l'écran qui reçoivent les électrons du faisceau rouge sont recouverts de grains de matières (luminophores) réagissant au rouge.

Il en est de même pour les points sensibles au vert et au bleu. On obtient ainsi une image couleur à partir de l'addition des trois couleurs primaires R (rouge), V (vert), B (bleu).

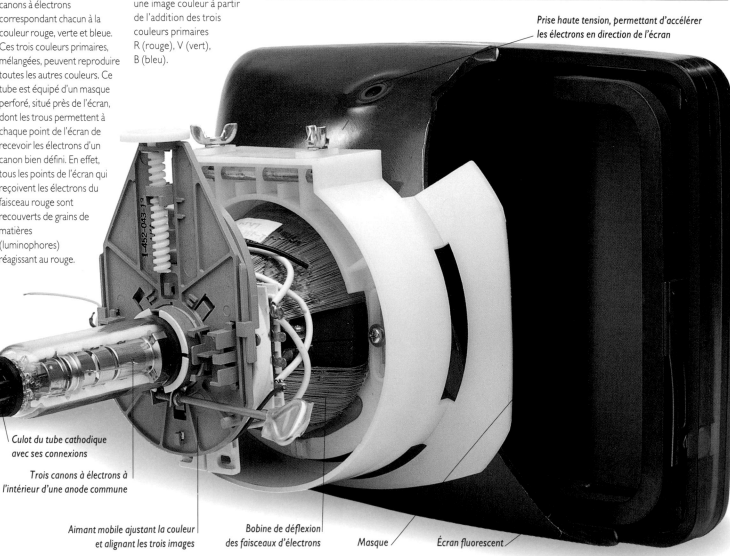

Prise haute tension, permettant d'accélérer les électrons en direction de l'écran

Culot du tube cathodique avec ses connexions

Trois canons à électrons à l'intérieur d'une anode commune

Aimant mobile ajustant la couleur et alignant les trois images

Bobine de déflexion des faisceaux d'électrons

Masque

Écran fluorescent

Cordon
d'alimentation

Heures   Tube nixie   Minutes   Secondes

Horloge

Au début des années 1960, années de fabrication de cette pendule, l'affichage numérique était rare. Les chiffres sont produits par des tubes sur le même principe que les lampes au néon, encore utilisées aujourd'hui pour indiquer qu'un appareil électrique est branché. Une commande logique reliée aux électrodes de chaque lampe permet l'allumage orange représentant un des chiffres de 0 à 9.

À l'aéroport

Des appareils électromécaniques comme celui-ci, à l'aéroport d'Amsterdam, permettent un affichage clair. Ils présentent un avantage : ils ne consomment de l'énergie que lorsque le message change.

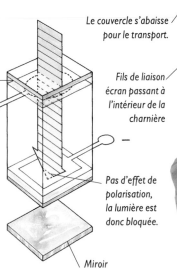

tijd time	vlucht flight	naar to
11:35	KL 501	ATHENE
12:00	KL 119	LONDON HEATHROW
12:45	CI 062	TAIPEI DHAHRAN
13:00	CP 046	FRANKFURT
13:00	KL 611	CHICAGO
13:15	KL 327	PARIS DE GAULLE
13:15	KL 553	CAIRO
13:30	KL 121	LONDON HEATHROW
13:30	KL 691	TORONTO
14:00	CP 051	TORONTO
14:15	CP 045	VANCOUVER CALGARY
15:00	GA 893	JAKARTA ROME
15:00	KL 6357	GOOSEBAY
15:35	SR 789	GENEVE
15:45	KL 2525	HERAKLION
16:00	KL 127	LONDON HEATHROW
16:15	SR 793	ZURICH
16:20	TK 954	ANKARA ISTAMBUL
16:45	KL 347	ROME FIUMICINO
16:55	KL 315	ZURICH
17:00	KL 123	LONDON HEATHROW

Le scanner

Sans affichage, la technologie informatique ne serait rien puisqu'il n'y aurait pas de liaison entre l'homme et la machine.
Dans ce scanner, un puissant ordinateur exploite l'ensemble des mesures effectuées par rayons X pour donner une image détaillée du corps du patient, mais il serait bien peu utile s'il ne transmettait pas des images en couleurs au radiologue.

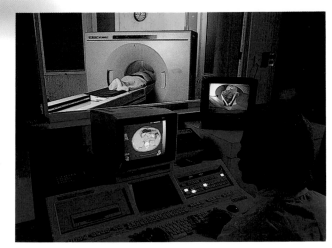

Écran LCD illuminé par-derrière

L'affichage portable

Peu gourmands en énergie, les cristaux liquides sont les seuls à pouvoir équiper les appareils portables. Des affichages plus avancés sont munis de transistors situés à l'intérieur de l'écran qui vont à la recherche de chacune des milliers de parties d'images simplifiant ainsi les circuits nécessaires à leur contrôle.

Le couvercle s'abaisse pour le transport.

Fils de liaison écran passant à l'intérieur de la charnière

Clavier

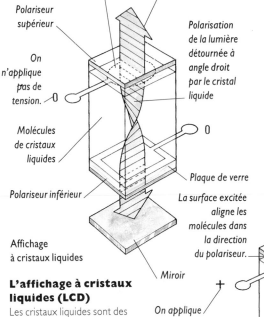

Électrode transparente

Lumière

Polariseur supérieur

On n'applique pas de tension.

Polarisation de la lumière détournée à angle droit par le cristal liquide

Molécules de cristaux liquides

Polariseur inférieur

Plaque de verre

Affichage à cristaux liquides

La surface excitée aligne les molécules dans la direction du polariseur.

Miroir

On applique la tension.

Pas d'effet de polarisation, la lumière est donc bloquée.

Miroir

Affichage éteint

L'affichage à cristaux liquides (LCD)

Les cristaux liquides sont des liquides à structure régulière. Prisonnières entre des plaques de verre à surface traitée, leurs molécules s'allongent et forment un chemin torsadé qui guide la lumière entre deux polariseurs croisés. Mais, si l'on applique une tension entre les plaques, les molécules ne peuvent plus guider la lumière et l'écran devient noir.

Les systèmes électroniques peuvent traiter les informations sous une ou deux formes. Les signaux peuvent varier sans heurts et d'une manière continue comme les variations de la pression dans l'air que nous entendons sous la forme de sons ; ou bien ils sont composés d'un nombre limité de symboles, comme les lettres d'un message. Les systèmes analogiques vont convertir les quantités variables en signaux variables tandis que les systèmes numériques traitent des symboles définis. Bien que les systèmes numériques soient régis par les principes fondamentaux de l'électronique analogique, leurs entrées et leurs sorties ne peuvent varier que de quelques valeurs, généralement deux, qui, différemment assemblées, forment ensemble des codes.

Le système binaire

Le philosophe et mathématicien allemand Gottfried Leibniz (1646-1716) mit en lumière le système binaire en 1703. Dans ce système, on écrit les nombres en utilisant seulement deux symboles. C'est le meilleur moyen de représenter les nombres dans les équipements électroniques numériques parce que ces derniers utilisent des bascules à deux états.

Le fonctionnement du système binaire

Avec une balance de cuisine traditionnelle on utilise des poids. Considérons que ces poids sont de 8, 4, 2 et 1 unités. Si l'on donne à chaque poids utilisé la valeur « 1 » et aux poids non utilisés la valeur « 0 », une pesée de 14 unités s'écrit « 1110 », ce qui signifie que l'on a utilisé les poids de 8, 4 et 2 mais pas le poids de 1. Le système binaire fonctionne exactement de la même manière. Les chiffres binaires ou bits montrent quels nombres fixes doivent être additionnés pour obtenir un nombre donné. Le bit le plus à droite indique si le 1 est ou non utilisé, puis les chiffres suivants de droite à gauche montrent si l'on se sert du 2, du 4, du 8.

Échantillonnage

Le mouvement des images, comme dans le cinéma, est en fait une illusion. Il est fabriqué à partir d'images fixes. Une action rapide peut en rendre compte, comme quand les roues d'une diligence semblent tourner à l'envers. L'échantillonnage digital fonctionne sur le même principe, c'est-à-dire en prenant des valeurs instantanées. Un signal analogique (en haut) est mesuré à intervalles réguliers ou « échantillonné ». Les mesures sont transformées en code binaire pour donner un signal numérique (au centre). La conversion n'est jamais exacte et, si l'échantillonnage est fait trop lentement (ou trop espacé dans le temps), le signal décodé peut être mal interprété, comme pour les roues de la diligence.

Valeur d'échantillonnage

Signal numérique

Signal d'origine avec des valeurs d'échantillonnage trop espacées

Mauvaise interprétation du signal

On ajoute de la farine jusqu'à ce qu'il y ait équilibre

Masses représentant la quantité que l'on souhaite obtenir et qui sont placées en premier sur le plateau

Masse de 2 unités

Masse de 4 unités

Masse de 8 unités

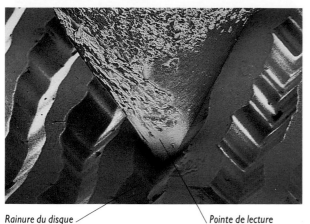

Rainure du disque   *Pointe de lecture*

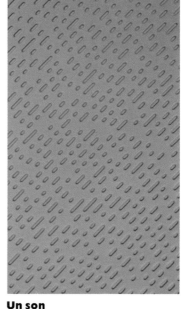

Bruits de surface

Les disques 33 t longue durée gravés dans le vinyle firent leur apparition vers la fin des années 1940. Ils étaient le résultat de l'évolution des premiers disques dont les rainures étaient grossières et la vitesse de rotation plus grande (78 t). Cette image obtenue grâce à un microscope électronique représente les rainures d'un disque 33 t. Elle nous montre comment les rainures reproduisent chaque nuance de l'onde sonore originale. Mais, du fait que la forme de l'onde est gravée directement à la surface, la moindre rayure sera transformée en bruit. Cette incapacité à faire la distinction entre bruits et signaux marque l'une des limites du système analogique.

Un son de meilleure qualité

Un disque compact est plus petit qu'un 30 cm, mais son écoute dure deux fois plus longtemps avec un son de meilleure qualité. En outre, il est presque inaltérable. Cela est possible parce que le son est converti en une suite de codes numériques apparaissant sur le disque sous la forme d'empreintes microscopiques qui sont lues par un rayon laser.

Alec Reeves (1902-1971)

Le Britannique Alec Reeves eut l'idée en 1937 de convertir la parole en code numérique. Travaillant sur des systèmes permettant d'acheminer plusieurs appels téléphoniques par l'intermédiaire d'un seul câble, il montra qu'en échantillonnant et en convertissant les signaux analogiques en signaux numériques on pouvait ramener les appels téléphoniques à un flot d'impulsions. Contrairement aux signaux analogiques, ces impulsions n'étaient pas parasitées par les interférences d'autres canaux passant dans le même câble. Cela allait permettre à un câble d'être porteur de plusieurs appels sans l'inconvénient du brouillage. Il a fallu attendre les années 1970 pour que cette modulation par impulsions soit mise en pratique.

La conversion des signaux

Un central téléphonique moderne est un véritable ordinateur spécialisé. Il est capable de traiter les appels comme des données informatiques parce que chaque appel passe par un convertisseur analogique-numérique avant que le central ne le transmette. Une liaison numérique l'envoie dans le central, où un convertisseur numérique-analogique recrée le signal original avant de l'envoyer sur le téléphone du correspondant.

La conversion des quantités

Un poisson peut peser n'importe quel poids. Son poids est une quantité analogique. Faire correspondre ce poids avec des masses dont les valeurs ne peuvent varier que par paliers revient à faire une conversion analogique-numérique. Peser de la farine (à gauche) est une conversion numérique-analogique, car les masses fixes sur le plateau de droite sont équilibrées par le poids de la farine que l'on fait varier en la versant, d'une manière progressive.

Masses ajoutées pour trouver le poids du poisson

Poisson placé en premier sur le plateau

Partout les gens émettent des sons semblables quand ils parlent, mais ce n'est pas pour autant qu'ils se comprennent. Ils ne peuvent communiquer que s'ils partagent un code qui lie les sons à une signification – un langage. De la même manière, les systèmes électroniques se basent sur les mêmes tensions, courants et ondes, mais pour qu'il y ait communication entre eux il faut un code préétabli. La plupart des téléviseurs ne fonctionneront que si leurs signaux se conforment à une norme nationale. Dans un autre pays avec une norme différente, les signaux ne pourront pas être décodés. Contrairement aux langages humains, les codes électroniques n'ont pas tous la même efficacité. Les premiers codages étaient inefficaces, car ils avaient un éventail de fréquences plus large que nécessaire. Ce n'est qu'avec l'avènement des microprocesseurs (p. 56-57), qui ont augmenté la puissance des ordinateurs, que le codage a trouvé son efficacité.

Comprendre le message
Le sifflet de l'arbitre n'est pas toujours suffisant. Le système des cartons est un code beaucoup plus clair. Quand un joueur voit un carton jaune, il comprend le message « avertissement », quelle que soit sa langue maternelle.

Tiret

Point

Le ruban de papier
Pour interpréter le langage des premiers systèmes de communication, il fallait des opérateurs qualifiés. Cette bande provient d'un récepteur de morse qui transcrivait sur une bande de papier les points et les tirets reçus. Un employé qualifié décodait le message afin que les clients puissent le lire.

La perforatrice de Wheatstone
Charles Wheatstone (1802-1875) conçut cette machine qui permettait d'enregistrer les messages en morse sous forme de trous dans un ruban de papier. Sous cette forme, ils pouvaient être transmis automatiquement permettant de développer l'usage des messages télégraphiques.

Ruban de papier

Bobine

Poinçon faisant des trous dans la bande de papier

Manette

Butoir

Edwin Armstrong (1890-1954)
L'Américain Edwin Armstrong, photographié ici avec un récepteur radio de sa conception, était l'inventeur de deux éléments essentiels de la radio : les oscillateurs (p. 33) et les variateurs de fréquences (p. 35). En 1933, il avait aussi mis au point un système rendant un son plus clair et sans bruit de fond : la modulation de fréquence (FM).

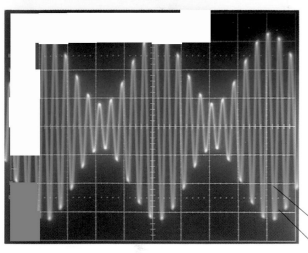

La théorie de la communication

En 1948, l'ingénieur américain Claude Shannon (né en 1916) découvrit un moyen de mesurer les informations des systèmes de communication. Son idée reposait sur ce principe : plus un signal est inattendu, plus il transmet d'informations. Il mit également au point un mode de calcul de la vitesse maximale à laquelle on peut envoyer une information à travers un canal donné. Ses travaux sont à l'origine des principes fondamentaux qui régissent l'ingénierie en communication. On leur doit également de pouvoir tester l'efficacité d'un code en étudiant la vitesse à laquelle il est transmis.

Onde porteuse

Crête donnant à l'onde sonore sa forme

La modulation d'amplitude

Pour transmettre une information, on doit moduler l'onde porteuse. Cette image, obtenue grâce à un oscilloscope, montre comment la forme de l'onde radioélectrique varie sous l'influence de la modulation d'amplitude.

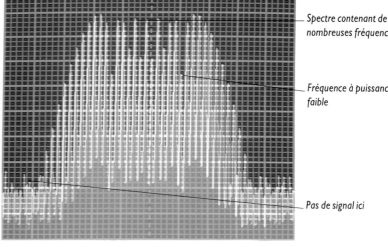

Spectre contenant de nombreuses fréquences

Fréquence à puissance faible

Pas de signal ici

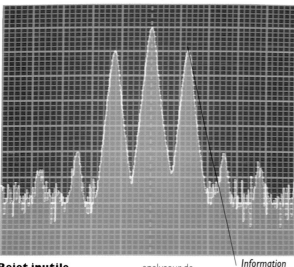

Rejet inutile

Toutes les transmissions radio s'effectuent sur diverses fréquences (p. 14-15). Mais chaque station doit avoir ses propres fréquences pour éviter les interférences, sources de parasites. La modulation d'amplitude n'est pas efficace, car, comme le montre ici cet analyseur de spectre, les deux moitiés du spectre ont la même forme et rejettent des fréquences que d'autres stations émettrices peuvent utiliser.

Information répétée

FM

La modulation de fréquence (FM) est un autre moyen de faire varier une onde porteuse pour transmettre des informations. C'est la variation de fréquence plutôt que son amplitude qui donne sa forme à l'onde radioélectrique.

Le lecteur de codes à barres

Les lecteurs de codes à barres sont fixes ou manuels. Les premiers sont généralement munis d'un laser dont le faisceau balaie le code, tandis que les lecteurs manuels sont équipés d'un dispositif semblable à une caméra de télévision miniature. Dans chaque cas, la lecture se fait grâce à une série d'impulsions que décode un ordinateur.

Codes à barres

Les raies d'un code à barres représentent un nombre qui identifie les produits et leurs emballages. Chaque chiffre est représenté par des bandes dont la largeur totale est de 7 unités. La largeur des lignes les plus fines et des espaces est de 1 unité ; celle des raies les plus larges, de 4 unités. Les codes numériques ne sont pas fondés sur le simple système binaire et le code d'un chiffre particulier varie selon la position qu'il a dans le nombre.

La ligne la plus fine se lit « 1 »

780863 185779

Chaque code numérique mesure 7 unités de large

L'espace le plus petit se lit « 0 »

Code à barres

Lumière du lecteur

On appelait parfois les premiers ordinateurs des « cerveaux électroniques », car on était surpris qu'ils puissent résoudre des problèmes de logique. En fait, les ordinateurs n'ont rien de commun avec le cerveau humain, capable de résoudre des problèmes qui mettent en échec un ordinateur, mais qui reste parfois déconcerté face à des problèmes de logique. Grâce à l'algèbre de Boole, on peut résoudre chaque problème en procédant par étapes. C'est tout simplement ce que font les ordinateurs, mais ils le font des millions de fois plus vite que l'Homme. Les ingénieurs leur donnent ce pouvoir en intégrant des règles de logique dans les circuits électroniques appelés « portes ». Ces portes sont des commutateurs qui se ferment ou s'ouvrent selon la combinaison d'entrée. Les circuits numériques sont composés de portes interconnectées et sont faits pour obéir à n'importe quelle instruction si elle est clairement définie.

**George Boole
(1815-1864)**
Le mathématicien britannique George Boole publia en 1854 son algèbre, qui permettait de combiner des symboles s'appliquant parfaitement aux règles de la logique.

Le diagramme de Venn
Les opérations de Boole reposent sur le principe des trois opérations (ET, OU, NON). Des images comme celle-ci, fondées sur le type de diagramme inventé par le Britannique John Venn, peuvent être utilisées pour illustrer ces opérations. Parmi de nombreuses formes et couleurs possibles, un cercle contient seulement des cubes (de plusieurs couleurs) alors que l'autre ne contient que des figures rouges de formes diverses. À l'intersection des deux cercles, les figures doivent être rouges ET doivent être des cubes. Les deux cercles contiennent des figures qui sont rouges OU qui sont des cubes. Dans la zone en dehors des cercles, les figures sont NON rouges et NON des cubes.

LE LANGAGE DE LA LOGIQUE

Les opérations de base de Boole sont ET ($\cap$), OU ($\cup$) et NON ($^{-}$). Grâce aux portes logiques, on peut effectuer ces opérations ainsi que d'autres. Chaque porte a un symbole particulier que l'on utilise pour dessiner les diagrammes montrant comment les portes sont reliées entre elles. Quelques-unes de ces portes sont montrées ci-dessous ainsi que les équations de Boole exprimant les règles qu'elles suivent.

A B —⊃— C	Porte ET	$C = A \cap B$
A B —⊃— C	porte OU	$C = A \cup B$
A —⊳○— C	porte NON	$C = \overline{A}$
A B —⊃○— C	porte NON ET ou NAND	$C = \overline{A \cap B}$
A B —⊃○— C	porte NON OU ou NOR	$C = \overline{A \cup B}$

On peut utiliser l'algèbre de Boole pour rédiger des règles auxquelles obéiront les portes logiques reliées entre elles afin de donner les mêmes expressions booléennes. Un voyant de ceinture de sécurité pourrait obéir à la règle : « S'il y a un poids sur le siège et que la ceinture n'est pas attachée, le voyant doit s'allumer », ou plus simplement : « Voyant = poids ET NON attaché. » L'algèbre de Boole permet à l'affirmation suivante : $V = P \cap \overline{A}$ de devenir $V = \overline{P \cup A}$ qui dit que le voyant devrait rester éteint s'il n'y a pas de poids ou si la ceinture est attachée.

Le circuit de la ceinture de sécurité ressemblerait à :

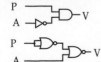

ou, en utilisant d'autres portes à ceci :

Cercle contenant des figures rouges de différentes formes

Logique Alice

Lewis Carroll (1832-1898), connu pour son récit *Alice au pays des merveilles*, était aussi un éminent mathématicien, particulièrement intéressé par la logique. Ses ouvrages sont truffés de références malicieuses à ce sujet.

La conversion des codes

Les circuits logiques conviennent parfaitement pour effectuer des conversions de codes. Ce schéma nous montre comment les chiffres de 0 à 9 exprimés en système binaire sont restitués en chiffres lisibles par tous. Les portes interconnectées et l'inverseur font en sorte que le segment en bas à droite de l'affichage reste allumé pour tous les chiffres sauf pour le 2, qui est représenté par le code binaire « 0010 ».

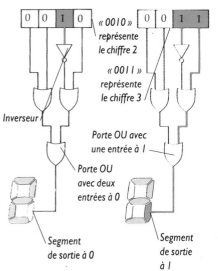

| 0 | 0 | 1 | 0 | | 0 | 0 | 1 | 1 |

« 0010 » représente le chiffre 2

« 0011 » représente le chiffre 3

Inverseur

Porte OU avec une entrée à 1

Porte OU avec deux entrées à 0

Segment de sortie à 0

Segment de sortie à 1

Le contrôle des ascenseurs

Le contrôle des ascenseurs est un problème de logique. Les appels sont mémorisés et sélectionnés par séquence entraînant le moins d'attente possible. Les portes logiques fournissent la mémoire nécessaire (p. 56-57) ainsi que les règles qui déterminent le niveau où l'ascenseur doit s'arrêter. Il peut arriver, aux heures de pointe par exemple, qu'il y ait besoin de règles différentes. Les ascenseurs modernes sont équipés de microprocesseurs (p. 58-59) tandis que les anciens modèles sont équipés de relais et ne peuvent obéir qu'à des règles simples (p. 30-31).

Cercle contenant des cubes de couleurs différentes

Les figures à l'intersection des deux cercles sont toutes des cubes rouges.

Anatomie d'une puce

Les structures en relief sur cette image agrandie sont des transistors (p. 38-39). Ils sont structurés pour former des milliers de portes logiques interconnectées.

Tube en verre

Bobine
d'accord

Réglage de l'accord

Le premier circuit intégré

L'ingénieur allemand Siegmund Loewe (1885-1962) mit au point plusieurs tubes sous vide contenant presque tous les composants – résistances, condensateurs, lampes – nécessaires à la fabrication d'une radio. Le socle de ce récepteur compact renferme seulement des condensateurs variables et une bobine interchangeable nécessaires au réglage. Toutes les autres pièces sont dans le tube.

Le magnétophone des années 50

La miniaturisation progressive des circuits intégrés est parfaitement illustrée par la diminution de taille des magnétophones au fil des ans. L'évolution des moteurs électriques et le développement de cassettes compactes y ont eux aussi contribué. Ce magnétophone professionnel représentait le triomphe de la miniaturisation lorsqu'il fut fabriqué au début des années 1950. Les premiers transistors y remplaçaient les lampes des modèles précédents, mais ses amplificateurs à eux seuls prenaient plus de place qu'une chaîne stéréo amateur de 1990. Les deux appareils sont représentés à la même échelle.

Jusqu'aux années 1960, la taille des lampes et des transistors représentait un handicap pour les électroniciens. Ils ont donc toujours cherché à les rendre plus compacts. La première tentative de circuit intégré fut effectuée par Siegmund Loewe, en 1926. Quant au premier circuit intégré à semi-conducteur, il fut fabriqué par Jack Kilby en 1958. Ce circuit était équipé de plusieurs transistors placés sur un semi-conducteur, mais on n'avait pas trouvé le moyen de les interconnecter, si ce n'est à la main. La solution fut le procédé planaire (1959) : cela consistait à graver les transistors sur une surface de silicium par procédés photographiques (p. 54-55). Le silicium est transformé sur toutes ses parties actives en oxyde inerte ou nitride. Grâce à ce procédé, les transistors sont plus solides, moins volumineux, et leur interconnexion plus facile. Vers 1962, le procédé planaire ayant été amélioré, les premiers vrais circuits intégrés connus sous le nom de « puces » firent leur apparition.

Indicateur du niveau d'enregistrement   Galet de positionnement   Manette de rembobinage manuel

Bobine de bande magnétique

Haut-parleur

Jack Kilby (né en 1923)

En 1952, un ingénieur en électronique américain, Jack Kilby, prit conscience que l'espace occupé par les interconnexions des transistors était important. Il regroupa dans un petit espace plusieurs transistors formant ainsi un labyrinthe inexploitable. En 1958, il présentait le premier circuit, intégrant des résistances, des condensateurs et des transistors, fabriqué avec une seule pièce de semi-conducteur.

Jack Kilby

Câbles d'écouteur servant également d'antenne

Écouteur

La calculatrice de Sinclair

Cette calculatrice de poche fut fabriquée en Grande-Bretagne par Sinclair, première compagnie à commercialiser des appareils électroniques miniatures. Les calculatrices, premières-nées de la technologie des circuits intégrés, furent largement diffusées dès le début des années 1970. Elles évincèrent les autres outils de calcul traditionnels comme la règle à calculer ou le boulier (p. 8) utilisés pendant des générations. À puissance égale, l'appareil qui, auparavant, occupait l'espace d'un grand bureau tient désormais dans une poche.

Diode d'affichage

Sinclair Executive

Touches de commande

Emplacement des piles

Cassette

Contrôle du volume

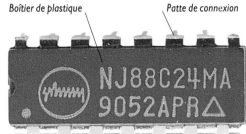

WALKMAN PROFESSIONAL

Le transistor miniature

Ce poste récepteur à transistors, fabriqué en 1983 par une firme japonaise, contient tous les composants nécessaires à la réception FM, intégrés dans une toute petite puce, fixée dans un boîtier de la taille d'une carte de crédit. La puce elle-même n'occupe qu'une toute petite partie du boîtier. Le reste du boîtier sert à loger les piles et le gros condensateur de réglage, qui sera remplacé dans les appareils plus récents par une petite diode (p. 36-37).

SONY

FM
108 104 102 100 98 96 94 92 88
TUNING
FM STEREO RECEIVER SRF-201
FM STEREO
MHz

Bouton de réglage des stations

Échelle des fréquences

À l'intérieur du boîtier

Les circuits intégrés peuvent assurer nombre d'opérations allant de l'amplification au calcul rapide. Mais ils se ressemblent tous, et, même en ouvrant le boîtier, on n'en apprendra guère plus. La taille des pièces ne dépassant pas 1 millième de millimètre, seul un puissant microscope permettra de distinguer leurs différentes formes.

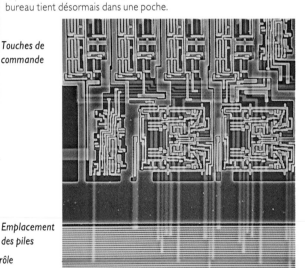

Agrandissement d'une puce

Seul un microscope puissant peut donner une idée de l'extrême complexité de la gravure d'un circuit intégré.

Filtre

Niveau d'enregistrement

Le baladeur

Depuis l'apparition du baladeur, on peut écouter de la musique n'importe où. Cet appareil professionnel, grâce aux circuits intégrés, permet l'enregistrement stéréo, et comporte filtres et réducteurs de bruits. Il peut recevoir toutes les cassettes.

Boîtier de plastique

Patte de connexion

NJ88C24MA
9052APR△

Boîtier intégré

Dans ce circuit intégré simple, la pièce de silicium à l'intérieur (ici à droite) est minuscule par rapport au boîtier qui doit recevoir les connexions reliant les broches dans une carte à circuits imprimés.

Puce de silicium

Les puces sont les composants les plus complexes qu'on ait jamais fabriqués. Le plus grand des circuits intégrés ne dépasse pas la taille d'un ongle. Si l'on voulait dessiner un circuit dans ses moindres détails, le dessin serait plus grand que le plan détaillé d'une ville. On peut donc, grâce aux circuits intégrés, réaliser des opérations qui nécessitaient auparavant un équipement remplissant des pièces entières. Quelle merveille de pouvoir concevoir et fabriquer de tels appareils ! Il est facile d'imaginer encore d'autres fonctions à confier aux puces et, pourtant, la conception précise des circuits assistée par ordinateur – eux-mêmes faits de puces – demande un travail important. Travailler à échelle microscopique pour concevoir et fabriquer les puces nécessite des équipes très qualifiées.

Le contrôle du dessin

Les ordinateurs assurent une grande partie de la conception des puces. Après impression par un photocopieur en couleurs géant, les dessins sont contrôlés par des spécialistes.

Les étapes de fabrication

Les tranches de silicium (p. 36) sont transformées en circuits intégrés grâce à une série d'opérations telles que le masquage, la gravure, la diffusion, l'implantation d'ions (on bombarde la tranche avec des atomes chargés d'électricité) et la métallisation (pour créer les contacts reliant les composants). Avec une tranche, on peut fabriquer plus d'une centaine de puces. On ne voit ici que certaines de ces étapes. À n'importe quelle étape, il peut y avoir un problème. Un grain de poussière peut endommager la puce. Une erreur de manipulation peut ruiner tout un lot de tranches.

Chaque schéma a sa propre couleur d'impression.

Feuille de plastique transparent

La superposition des schémas

À la première étape de la conception, les ordinateurs vérifient la logique du dessin et les caractéristiques électriques du projet proposé pour mettre en lumière le moindre défaut. Il faut aussi vérifier la parfaite superposition des schémas. Pour des puces simples, on peut vérifier par transparence.

Motif de contrôle utilisé pour la vérification

2 Un masque

On utilise un masque photographique pour créer une impression microscopique sur la tranche. Le masque permet de graver la tranche recouverte d'oxyde de silicium. La gravure se fait au travers des trous du masque. Seules les zones dans les trous sont attaquées.

3 Diffusion des impuretés

Les tranches sont portées à haute température et exposées à des substances chimiques contenant des impuretés. On place les lots de tranches dans un four, où les impuretés n'atteindront que les parties de la surface laissées exposées à la suite des opérations précédentes de masquage et de gravure. Pendant la diffusion, les contrôles du temps d'exposition et de température sont très délicats, puisque d'eux dépendent les propriétés des transistors intégrés sur la puce. Les techniciens doivent travailler dans les mêmes conditions que les chirurgiens : pièces stériles, masques et blouses, car le moindre grain de poussière pourrait être fatal aux transistors.

4 Tests de vérification

Toutes les étapes (dont certaines telle la métallisation ne sont pas montrées ici) ayant été réalisées, les tranches sont prêtes pour les tests. Chaque tranche contient des puces de contrôle qui sont testées pour vérifier que toutes les étapes se sont bien passées.

Chaque puce subit un cycle complet de tests. Chaque puce défectueuse est repérée pour être éliminée. Ces tests sont effectués par des sondes extrêmement précises commandées par ordinateur. Si l'entreprise qui fabrique ces puces veut les commercialiser, son taux d'échec à ce stade doit être très faible.

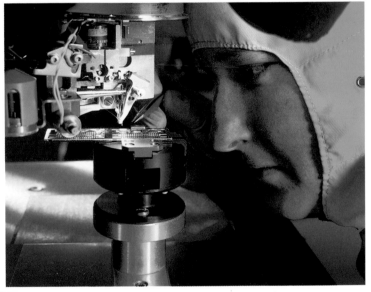

5 Interconnexion

On relie, par une soudure à froid, des fils d'or très fins aux petits plots qui se sont formés aux bords de la puce lors de la métallisation. Pour aligner la puce avec l'équipement de soudure, il faut un microscope. Ce microscope est équipé d'une caméra qui permet de vérifier l'opération sur un écran de télévision. Les extrémités des fils seront ensuite reliées aux broches qui connectent la puce à la carte de circuit.

Boîtier de plastique

Broche

6 Emballage de la puce

La puce et ses fils de connexion sont ensuite insérés dans un boîtier en plastique ou en céramique, selon la température que la puce devra supporter. Ci-dessus, une puce à intégration à petite échelle (LSI).

7 Une partie du système

Les puces ainsi emballées sont envoyées à des manufactures qui les intégreront dans leurs fabrications. Pour qu'un système soit performant, il faut des circuits intégrés de toutes les tailles. Les puces les plus grosses et les plus complexes accomplissent l'essentiel du travail tandis que les puces les plus simples n'ont qu'une fonction de liaison et de contrôle. Les puces les plus grandes peuvent contenir plus d'un million de transistors.

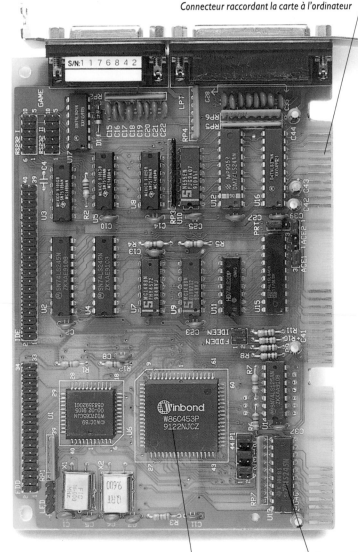

Connecteur raccordant la carte à l'ordinateur

Circuits intégrés dans une carte d'ordinateur

Circuit intégré de mémoire

Circuit intégré de contrôle

L'apparente intelligence des ordinateurs dépend principalement de leur capacité de mémoire. Les ordinateurs font ce qu'on leur demande de faire, mais pour obéir aux instructions, il faut qu'ils s'en souviennent. Quand ils fonctionnent, ils doivent aussi se reporter aux informations qu'ils ont stockées et se souvenir de ce qu'ils ont déjà fait. Le type de mémoire dépend du type et de la quantité d'informations à stocker. Certains programmes et certaines données peuvent prendre beaucoup de place, et on peut avoir besoin de les stocker pendant des années. Un clavier peut se souvenir de la plupart des frappes de touches pendant quelques millièmes de seconde. Des données que l'ordinateur est en train de traiter peuvent avoir besoin d'entrer ou de sortir de la mémoire en quelques 10 millionièmes de seconde. Il existe des dispositifs spécialisés pour toutes ces opérations.

Musique non stop

Le juke-box contient une masse d'informations stockées sur disques et a aussi une mémoire qui enregistre les souhaits de l'usager. Les mémoires de ce type, ou mémoires « tampons », sont présentes dans tous les appareils lorsque deux dispositifs doivent communiquer à des vitesses différentes. Les premiers juke-boxes comme celui-ci avaient des mémoires mécaniques ; ceux d'aujourd'hui sont équipés de mémoires électroniques.

L'interrupteur à bascule

Un bouton-poussoir comme celui d'une lampe de bureau est un bouton à bascule mécanique. Sa mémoire est limitée à un bit d'informations ; il se souvient de la dernière fois qu'on l'a utilisé, pour allumer ou éteindre la lumière. Quoi qu'il ait fait la fois précédente, il fera cette fois le contraire.

En appuyant sur le bouton, on obtient le contraire de l'opération précédente.

Disques

Codes pour faire son choix

Boutons de sélection

Haut-parleur

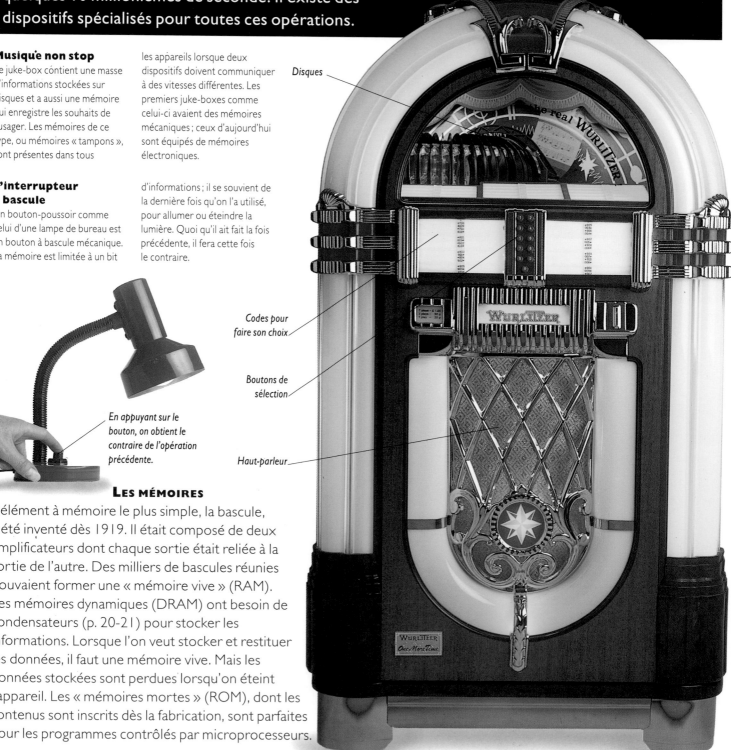

LES MÉMOIRES

L'élément à mémoire le plus simple, la bascule, a été inventé dès 1919. Il était composé de deux amplificateurs dont chaque sortie était reliée à la sortie de l'autre. Des milliers de bascules réunies pouvaient former une « mémoire vive » (RAM). Les mémoires dynamiques (DRAM) ont besoin de condensateurs (p. 20-21) pour stocker les informations. Lorsque l'on veut stocker et restituer les données, il faut une mémoire vive. Mais les données stockées sont perdues lorsqu'on éteint l'appareil. Les « mémoires mortes » (ROM), dont les contenus sont inscrits dès la fabrication, sont parfaites pour les programmes contrôlés par microprocesseurs.

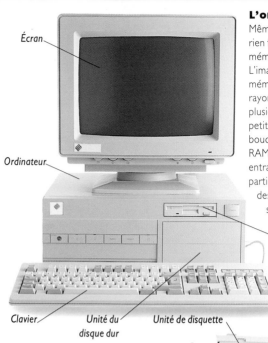

Écran

Ordinateur

Clavier

Unité du disque dur

Unité de disquette

L'ordinateur personnel

Même s'il donne l'impression de ne rien faire, l'ordinateur utilise sa mémoire vive (RAM) de façon active. L'image à l'écran est stockée dans la mémoire vive tandis qu'un tube à rayon cathodique balaie l'écran et lit plusieurs fois par seconde l'image. Un petit programme effectue une série de boucles d'instructions stockées dans la RAM. Le fait d'appuyer sur une touche entraîne une activité dans une autre partie de la mémoire qui appelle des programmes ou des données stockés sur le disque dur ou sur la disquette.

Unité de disquette

Souris

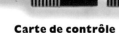

Circuit intégré mémoire

Connecteurs plats branchés dans un support de l'ordinateur

Contrôleur de disque

Cristal contrôlant la fréquence

Carte de contrôle

Les ordinateurs contiennent des cartes spécialisées qui permettent de mieux répartir leur travail. Dès que l'ordinateur a confié une tâche à une telle carte, il est disponible pour en entamer une autre. Cela permet un gain de vitesse, mais la carte spécialisée doit mémoriser tous les détails.
Cette carte d'un PC permet à la disquette de recevoir les données provenant du microprocesseur.

L'intérieur d'un ordinateur

Sur cette photo, on voit bien l'unité de disquette. Elle fonctionne comme un lecteur de disque compact (p. 46-47), mais les disquettes comportent à leur surface des motifs magnétiques et non optiques. Le disque fixe, ou disque dur, se trouve caché ; il fonctionne de la même manière, mais est capable de stocker beaucoup plus d'informations.
Le microprocesseur comporte lui aussi des quantités substantielles de mémoire (p. 58-59) et des registres qui contiennent les données utilisées, dont certaines d'un emploi fréquent.

Tête de lecture/écriture

Microprocesseur avec ventilateur

Disque magnétique

Tête de lecture/écriture

Mécanisme de sélection de piste

Mémoire vive

Bras

Le stockage

Un disque dur peut stocker des dizaines de millions d'octets (groupes de huit éléments binaires) et les restituer en quelques millièmes de seconde. Le bras équipé d'une tête de lecture et d'écriture est guidé par des informations provenant d'un fichier, lui-même stocké sur le disque. Les données sont stockées sur des pistes concentriques étroites divisées en secteurs. Le bras se dirige sur une piste et lit le secteur indiqué sur le disque en rotation.

Alimentation

Moteur de l'unité de disquette

Supports disponibles pour extension de la capacité de l'ordinateur

Mémoire morte programmable (EPROM)

Dans une puce à mémoire, les fonctions logiques sélectionnent les cellules auxquelles on veut avoir accès. Les groupes de cellules ont chacun une « adresse ». L'ordinateur envoie une adresse à la puce, qui, elle, envoie les données stockées à cette adresse. Cette puce à mémoire morte à programme effaçable ne peut pas stocker d'autres données. Elle garde en mémoire les informations sous forme de décharges électriques jusqu'à ce qu'un rayon ultraviolet les efface.

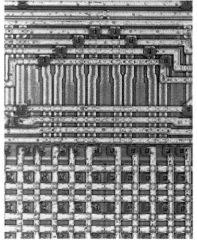

La puce à mémoire dynamique (DRAM)

Elle stocke les informations enregistrant la présence ou l'absence de charge dans des condensateurs microscopiques. Avec cette technique, les cellules ont peu de mémoire, mais stockent des millions de chiffres binaires dans une seule puce. On appelle ces mémoires des mémoires dynamiques, car les condensateurs dont la mémoire est peu fidèle exigent que chaque cellule soit lue puis réécrite plusieurs milliers de fois par seconde.

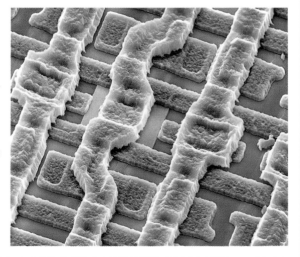

Dans les années 1970, on commence à construire des circuits intégrés plus grands donc plus chers à concevoir, plus spécialisés et plus difficiles à commercialiser. On avait besoin d'un circuit capable de réaliser toutes sortes d'opérations. La solution fut le microprocesseur. Le microprocesseur est un circuit capable de réagir à des instructions codées avec lequel les utilisateurs peuvent effectuer différentes tâches. Le microprocesseur est le cerveau de l'ordinateur. Il utilise la logique (p. 50-51) pour décoder les instructions et manipuler les données. Les résultats sont stockés dans la mémoire ou envoyés aux périphériques – écran ou imprimante. Quand il fit son apparition en 1971, le premier microprocesseur semblait révolutionnaire, mais il était lent, avait une mémoire faible et ne pouvait traiter que des « mots » écrits avec 4 chiffres binaires (16 bits) (p. 46). Les microprocesseurs d'aujourd'hui peuvent traiter 32 bits, accéder à une mémoire de plusieurs megaoctets, et réaliser une opération en quelque 10 millionièmes de seconde. Il existe aujourd'hui des processeurs à signal numérique encore plus rapides, par exemple pour envoyer des images par téléphone.

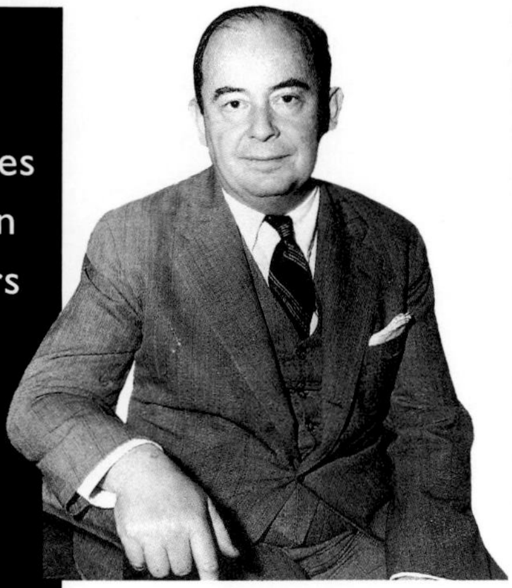

Architecture d'un ordinateur

On doit l'architecture de base des microprocesseurs au mathématicien américain d'origine hongroise, John von Neumann (1903-1957). Vers 1940, travaillant sur les premiers ordinateurs, il réalisa que l'on pouvait stocker instructions et données dans la même mémoire, en simplifiant ainsi la conception. Plus rapides mais moins polyvalents, les processeurs à signal numérique (DSP) utilisent pour optimiser leur vitesse des mémoires séparées, l'une pour les données, l'autre pour les instructions.

Les étapes du microtraitement

Le microprocesseur destiné à des contrôles d'appareils est un petit ordinateur bien que son programme ne puisse normalement pas être modifié par son utilisateur. Le microprocesseur de cette balance (ci-dessous) effectue une boucle, convertissant en un poids qu'il affiche, d'une part, les données de la jauge de déformation et, d'autre part, les données du convertisseur analogique-numérique (p. 46-47). Mais il répondra à une interruption provoquée par l'utilisateur qui, en appuyant sur un bouton, change l'unité de mesure ou stocke dans la mémoire vive (RAM) (p. 56-57) le poids de la tare pour le soustraire du poids affiché.

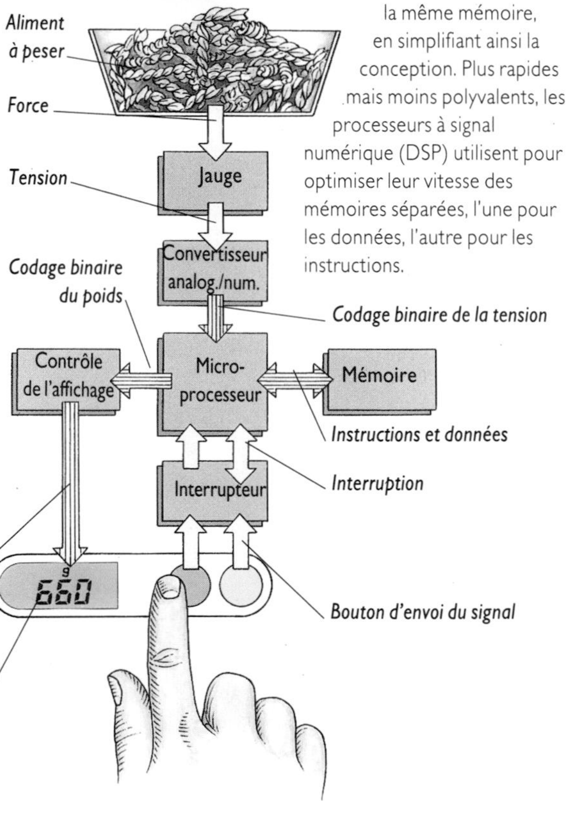

Aliment à peser

Force

Tension

Jauge

Codage binaire du poids

Convertisseur analog./num.

Codage binaire de la tension

Contrôle de l'affichage

Micro-processeur

Mémoire

Instructions et données

Interrupteur

Interruption

Tensions nécessaires à l'affichage

Bouton d'envoi du signal

Affichage du poids

Aliment à peser

Affichage du poids

Bouton de changement d'unité de mesure

Bouton de remise à zéro

Les balances perfectionnées

Les microprocesseurs peuvent rendre les appareils électriques plus « intelligents » et plus faciles à utiliser. La balance en est un exemple. Non seulement le processeur effectue l'opération arithmétique pour convertir le résultat du transducteur (p. 42-43) en un poids affiché, mais il le convertit aussi en d'autres unités de mesure ou modifie son résultat en soustrayant la tare. Les instructions qui le dirigent sont stockées dans la mémoire morte (p. 56-57).

Pleins feux sur le microprocesseur

La surface de ce microprocesseur contient des centaines de milliers d'éléments électroniques microscopiques composés de parties dont la section ne dépasse pas 1 millionième de millimètre. Elles forment des circuits qui intègrent un compteur de programme, des registres qui stockent les données temporaires de la mémoire, un décodeur d'instructions, un accumulateur dans lequel s'effectuent les opérations et une unité arithmétique et logique qui transforme les données ou qui les met en forme.

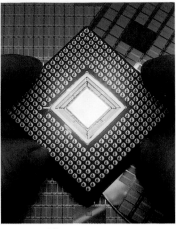

Microprocesseur

Le boîtier du microprocesseur

Les microprocesseurs les plus perfectionnés sont composés de nombreuses broches pour les « bus » (groupes de sortie porteurs du code binaire), qui les relient à la mémoire et aux autres composants, si bien qu'une puce de gros microprocesseur est toujours petite, comparée au boîtier et aux connexions qui l'entourent. Ce boîtier mesure 50 mm^2.

Gymnastique

On a longtemps pensé que seuls trois ordinateurs suffiraient pour satisfaire tous les besoins informatiques du monde. Il était donc inimaginable que les ordinateurs soient utilisés pour assister l'homme dans ses activités. Et pourtant cette machine, contrôlée par un microprocesseur, permet à chacun des utilisateurs de sélectionner son programme.

L'apprentissage électronique

L'intégration à très grande échelle (p. 54-55) a mis à la disposition des enfants l'informatique jusque-là réservée aux scientifiques. On trouve, inscrits dans la mémoire morte (ROM) de ce jouet éducatif, plusieurs programmes de jeux pour apprendre en s'amusant.

Affichage à cristaux liquides

Texas Instruments

Carte amovible pour changer de jeu

Le microprocesseur de 12 mm^2 à l'intérieur répète un cycle de recherche, de décodage et d'exécution d'instructions plusieurs millions de fois par seconde et peut aussi traiter des interruptions (p. 58), pour revenir ensuite à ce qu'il faisait.

8237635UAB   247
x

Réseau de broches intégré dans le circuit

Boîtier en céramique

L'oreille visuelle

Grâce aux microprocesseurs, on est passé, dans de nombreuses professions, de la théorie à l'application. Les orthophonistes peuvent utiliser cet équipement pour améliorer la parole d'une personne atteinte de troubles auditifs. Cet appareil reproduit les images des sons émis par le patient, matérialisant un concept existant depuis longtemps mais jusqu'à maintenant irréalisable.

Puce scellée sous une enveloppe métallique

Un super-ordinateur

Cet ordinateur très puissant utilisé pour contrôler le comportement d'une centrale nucléaire n'a pas besoin de microprocesseurs : ils sont beaucoup trop lents. Il en contient cependant quelques-uns qui contrôlent la puissance et le système de refroidissement. Sans eux, le super-ordinateur ne pourrait pas fonctionner.

Dans les pays industrialisés, l'électronique rythme nos journées. Nous sommes réveillés le matin par un réveil à quartz, un four à micro-ondes réchauffe nos repas, dans la soirée, la télévision nous apporte quelques moments de détente. D'autres appareils dirigent le trafic aérien et routier, garnissent les rayons des supermarchés, assurent la liaison d'un milliard de téléphones. Peu de domaines de la vie moderne échappent à l'électronique, et l'essor technologique laisse à penser à quelques-uns qu'ils sont complètement dépassés, puisque les choses simples et familières sont constamment remplacées par des choses nouvelles et complexes. Néanmoins, tous admettent que l'électronique nous est utile. N'importe qui peut faire d'excellentes photos avec le bon appareil, appeler un ami à l'autre bout de la Terre ou encore télécopier une carte d'anniversaire. Nos postes de travail sont plus propres et mieux éclairés, tandis qu'à la maison nous recevons les informations du monde entier.

Les robots

Les robots sont des machines qui utilisent des mémoires électroniques (p. 56-57) pour imiter les mouvements de l'homme. Depuis les années 1970, ils sont de plus en plus utilisés : les constructeurs ont fabriqué des véhicules de meilleure qualité et à moindre coût. Les ouvriers qui travaillent dans ces usines sont plus performants, car ce sont les robots qui assurent les tâches ennuyeuses et dangereuses.

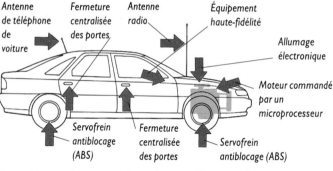

Antenne de téléphone de voiture
Fermeture centralisée des portes
Antenne radio
Équipement haute-fidélité
Allumage électronique
Moteur commandé par un microprocesseur
Servofrein antiblocage (ABS)
Fermeture centralisée des portes
Servofrein antiblocage (ABS)

La voiture et l'électronique

L'architecture d'une voiture n'a pas changé depuis soixante ans, mais ses équipements électriques et électroniques ont fait d'énormes progrès. Les systèmes numériques contrôlent maintenant le moteur et les freins pour une plus grande sécurité et une meilleure efficacité. Ces systèmes offrent aussi des antivols efficaces ainsi qu'un équipement de communication sophistiqué.

Un portable relié par satellite

Ce terminal portable relie l'ordinateur du journaliste à sa rédaction distante de plusieurs milliers de kilomètres. Il peut accéder directement au satellite sans passer par un relais terrestre. Le signal est émis par une antenne située sous le champignon blanc.

Compartiment pour piles

Changement de canal de la télévision

Sélection des modes

Affichage à cristaux liquides

Contrôle de l'horloge

Clavier numérique

Télétexte

Contrôle du magnétoscope

Couvercle pour accéder aux fonctions

La télécommande d'un système vidéo

Cette télécommande envoie des impulsions d'ondes infrarouges à un magnétoscope qui les décode et comprend sur quelle touche on vient d'appuyer. Mais son microprocesseur (p. 58-59) offre tellement de possibilités que le petit cadran d'affichage n'est guère utile pour dire à l'utilisateur ce qui se passe.

Le télécopieur (fax)

Le premier « téléfax » a été conçu en 1843. À partir de 1925, il était utilisé pour transmettre les photographies aux journaux et, dans les années 1960, par quelques grandes entreprises. Mais, dans les années 1980, depuis qu'un ingénieux système de codage utilisant des microprocesseurs (p. 58-59) a été mis au point, on peut fabriquer des fax à bon marché pour transmettre des images *via* une simple ligne téléphonique. La grande utilité de la télécopie est de pouvoir franchir aisément les fuseaux horaires et les barrières linguistiques.

Combiné

Clavier

Affichage à cristaux liquides

Bac d'alimentation des documents à transmettre

Document reçu imprimé sur papier sensible à la chaleur

Le plus rapide

La technologie électronique renforce l'obsession moderne de la vitesse. Dans la haute compétition sportive, les records sont battus et les réputations faites sur des performances mesurées en millièmes de seconde (p. 23). Si l'on ne tenait pas compte d'autres paramètres, mesurer le temps de façon si précise ne serait pas pertinent. Des équipements électroniques vérifient la longueur du couloir, affichent la vitesse du vent et la température.

L'Américain Carl Lewis gagnant un 100 mètres

Les effets spéciaux

Le film de Walt Disney *Tron* (1982) fit le premier un usage extensif des effets spéciaux générés par ordinateur. Précédemment, les animations étaient effectuées image par image, par une armée de dessinateurs. Mais cela se limitait aux images qu'on pouvait reproduire avec de la peinture et un pinceau. Grâce à l'ordinateur, un monde de rêve s'ouvre à nos yeux, qui n'est pas réservé aux producteurs de cinéma, mais accessible aux millions de gens qui jouent à des jeux vidéo. La piste son de cette image tirée de *Tron* utilise un système inventé dans les années 1920.

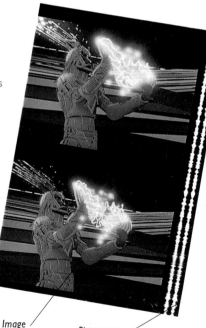

Image

Piste sonore

Les systèmes de défense

Ceci n'est pas le dernier né des jeux vidéo, mais le poste de commande d'un porte-avions américain. Outre le conventionnel radar à écran orange (p. 40), il possède plusieurs ordinateurs pour garder en mémoire les informations qui lui sont nécessaires.

La guerre électronique est un domaine de pointe, que ce soit pour détecter une menace ou pour déclencher une contre-attaque. Sans rien voir sinon un écran, comment concevoir la destruction qui en résultera ?

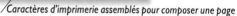
Caractères d'imprimerie assemblés pour composer une page

Dans le monde qui préceda l'ère de l'électricité, les changements étaient rares. L'imprimerie, qui révolutionna les années 1450, resta pratiquement telle pendant plus de cinq cents ans. Ce fut l'électronique qui commença à en modifier les techniques dans les années 60, et maintenant, du fait des moyens informatiques et de communication, le progrès est extrêmement rapide. Un modèle de l'année précédente est déjà une pièce de musée. Les communications rapides et peu coûteuses intensifient la compétition internationale, l'ordinateur de bureau a donné la puissance mathématique à chaque dirigeant d'entreprise.

Plaque d'impression d'une image

Image obtenue à partir d'une plaque encrée

VERS LA PHOTONIQUE

L'électronique elle-même n'est pas exempte de changements. Les lampes ont dominé la technique pendant cinquante ans. Le transistor a ouvert la voie aux circuits imprimés après vingt-cinq années. Maintenant, l'électronique donne naissance à une nouvelle technologie : la *photonique*. Issue de la technologie des fibres optiques, la photonique nous promet de pouvoir contrôler la lumière par la lumière, ouvrant ainsi la voie aux ordinateurs optiques plusieurs fois plus rapides que leurs ancêtres électroniques.

L'imprimante laser
De nos jours, les idées peuvent être transmises directement de l'auteur au lecteur sans passer par la traditionnelle impression d'un document. Des données mémorisées sur un disque (p. 57) accèdent à une autre mémoire qui contient des polices de caractères ou des images et qui pilote une imprimante laser. Une simple ligne téléphonique permet de reproduire le document à distance en quelques secondes.

L'imprimerie de nos ancêtres
En dépit de la mécanisation, l'impression n'a pas connu de profondes transformations depuis sa découverte, vers 1450. À partir du manuscrit de l'auteur, on composait des lignes de texte avec des caractères métalliques, formant ainsi des pages, puis on encrait et on imprimait à l'aide d'une presse. La reproduction d'image a plus évolué : on a longtemps gravé les images à la main, mais, à partir des années 1900, la gravure photographique devint courante.

Touches de contrôle

Affichage à cristaux liquides

Document impression laser

Alimentation en papier

L'imprimante a sa propre mémoire pour stocker ses polices de caractères

A4

Câbles en fibres optiques

Après des essais d'utilisation des guides d'ondes (p. 41) pour relier les centres de villes, on s'aperçut que la lumière d'un laser modulée en impulsions codées et se propageant dans un fil de verre aussi fin qu'un cheveu pouvait offrir des possibilités presque illimitées en matière de communication. Les fibres optiques ont maintenant remplacé les câbles dans la plupart des liaisons téléphoniques et des réseaux de données.

Gaine de plastique isolant

Fibre optique

Obsolescence

La technologie électronique vieillit vite. Cet ordinateur à lampes, utilisé pour la gestion des affaires plutôt que pour des calculs scientifiques, était à la pointe du progrès en 1953, mais sa puissance de calcul égale celle d'une calculatrice programmable d'aujourd'hui.

L'installation d'un câble en fibres optiques

Les nouvelles technologies exigent de nouvelles qualifications. Il a fallu plusieurs années pour développer cette technique délicate. Bien que les fibres soient rigides, tout nœud provoquerait une fuite de lumière et une perte de puissance du signal. Pour éviter ces problèmes, les fibres sont propulsées dans leurs gaines au moyen d'un jet d'air comprimé, comme le montre la photo.

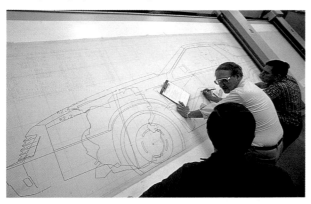

Le téléphone de poche

Lorsqu'il fit son apparition, en 1876, le téléphone était tributaire du fil. De nos jours, sous le contrôle d'ordinateurs, et grâce à un réseau de transmetteurs radio, les téléphones mobiles pouvant utiliser les mêmes fréquences sont maintenant opérationnels. D'ici à l'an 2000, ces communicateurs de poche utilisant une technologie de pointe seront probablement chose courante.

Écouteur

Affichage à cristaux liquides

Clavier

Microphone

Conception assistée par ordinateur (CAO)

Entre stylistes et ingénieurs chargés de réaliser les modèles, la communication était difficile. Maintenant que les ordinateurs peuvent calculer chaque point d'une courbe dans un espace tridimensionnel – on examine ici un dessin réalisé par ordinateur –, le design des voitures est en complète mutation.

Coup d'œil au-dessus de la Terre

L'électronique nous a fourni une autre vision de la Terre. Sans les ordinateurs et les communications, les satellites n'existeraient pas. Sans les images par satellite, transmises par l'électronique, les mots « petite » et « vulnérable » ne seraient pas appliqués à la Terre. L'invention de l'imprimerie inaugurait une longue période pendant laquelle les hommes ont cru que, grâce à leur savoir, ils pourraient façonner le monde. L'électronique a changé leur manière de voir.

REMERCIEMENTS

**Dorling Kindersley
tient à remercier :**
John Becklake, Stewart Emmens,
Stephen Foulger, Ian Carter;
Brian Gilliam, Derek Hudson,
Douglas Millard, Peter Stephens
et anthony Wilson; Karl
Adamson, Dave King, Philip
Gatward, et Visual 7; le John
Jarrold Printing Museum,
Norwich ;Sony est une marque
déposée de Sony Corporation,
Japon ; Marconi Instruments Ltd ;
le juke box p. 56d est de RS
Leisure Ltd, Londres ; les circuits
imprimés (p. 17 et 23) de
Somerville CDO Circuits,
Londres ; Gregory Jennings,
Imperial College ; Dixons,
London pour le prêt des

équipements électroniques des
p. 3d, 4bg, 7h, 41h, 63d; Dr.
Bryson Gore et Bipin
Parmar,The Royal Institution ;
Peter Ramiz et l'équipe du
MESH ; GEC Plessey
Semiconductors ; Olympus ;
GEC-Marconi Research Centre ;
John Woodcock ; Nick Hall ;
Stephen Bull et Roy Flooks
pour les illustrations.

**Gallimard Jeunesse tient
à remercier :**
Christine Brégeon, Christiane
Keukens et Michel Langrognet de
ML Éditions, ainsi que Jacques Morel
pour leur précieuse collaboration.

ICONOGRAPHIE

h = haut ; b = bas ; c= centre ;
g = gauche ; d = droit

Allsport 8c; 48hd; 59hc; 61cg.
Aquarius Picture Library 46cd.
Arcaid 51hd. Associated
University Presses/*Paul Eisler :
My Life with the printed circuit*
23cd. A.T.&T. Archives 31hd;
38bd ; 49hd. Copyright © BBC
27hd. Bettmann Archive/UPI
40hg; 48bd; /UPI 58hd. BT
Museum 25hc. BT pictures 47c;
63hd. Capel Manor 33hg.
Colorsport 44hg. Jean-Loup
Charmet 12hg; 14cg. Mary
Evans Picture Library 8hg; 9hd;
20hg; 22cg; 24bd; 26c; 42hg;
46hg; 50hg. Ronald Grant
Archive 6hd; 9hd; 61hcd.
Robert Harding Picture Library

41hd; 43bd; 45cg; 60hd.
Hulton Deutsche 11hc; 28bg;
36hd; 37hg; 42bc; 63hg. Image
Bank 17bg. Imperial War
Museum 40bg. Jane's
Information Group 61bg.
Magnum Photos/Erwitt 20cg.
Mansell Collection 19cg; 26hg.
Northern Telecom Europe
Limited/STC Archives 47cg.
Popperphoto 30hd; 30cd;
38hg. Science Museum Library
13c; 29cg. Science Photo
Library/Simon Fraser 7hcd; 7cd;
9bcd; 10hd; 13cd; 16hg; 25hg;
/P. Parviainen 26bd; /Occidental
Consortium 28bd; /William
Curisger 33bd; 36c; /Simon
Fraser 36bc; 45cd; /Dr Jeremy
Burgess 47hg; /Andrew Syred
47hd; Alfred Pasleka 51bd;
/Manfred Cage 53c; /Takeshi

Takahara 54hg; /David Parker
55hg; /David Parker 55cg; /Ray
Ellis 55hd; /Jeremy Burgess
56bg; /David Scharfe 57bd;
/James King Holmes 59bg;
/David Parker 59bd; /George
Haling 63cg; /NASA
63bc.Texas Instruments Ltd
53hc. Zefa 35hg; 59hg; 60g.

À l'exception de la liste ci-
dessus et des objets des
pages:1, 6b, 7b, 11b, 12c, 15b,
16g, 17b, 19d, 19c, 21h, 23h,
31d, 34h, 36g, 37d, 38cd, 39c,
40cg, 43b, 46b, 47b, 49b,
50/51c, 56g, 58g, 59h, 60b, 61h,
tous les objets photographiés
dans ce livre appartiennent aux
collections du Science Museum,
Londres.